...bria
& Lôn Teifi

The Official Guide to National Cycle Network
Routes 81 and 82 from Fishguard to Aberystwyth
and Aberystwyth to Shrewsbury

YMUNWCH Â'R MUDIAD

sustrans

JOIN THE MOVEMENT

The author and publisher have made every effort to ensure that the information in this publication is accurate, and accept no responsibility whatsoever for any loss, injury or inconvenience experienced by any person or persons whilst using this book.

published by
pocket mountains ltd
Holm Street, Moffat DG10 9EB
pocketmountains.com

ISBN-13: 978-1-907025-22-8

Text and photography copyright © Pocket Mountains Ltd and Sustrans 2011

Format and design © Pocket Mountains Ltd 2011

A catalogue record for this book is available from the British Library

All route maps are based on 1945 Popular Edition Ordnance Survey material and revised from field surveys by Pocket Mountains Ltd, 2010/2011. © Pocket Mountains Ltd and Sustrans 2011

Printed in Poland

Introduction

With quiet roads, homemade cakes and spellbinding countryside, Mid Wales is a cyclists' paradise. Together, Lôn Teifi and Lôn Cambria stretch across the region in a diagonal line, from the raw and romantic Pembrokeshire coast to the Shropshire Marches, crossing Ceredigion and Powys. With 40 percent of the area of Wales and just 10 percent of the population, Mid Wales is an empty, mythical land, a 'land of ochres and umbers' as the artist Kyffin Williams put it. This is the home to small communities of creatives and non-conformists, farmers and smallholders – people who have grown tired of the modern world, or refused ever to embrace it.

Silence, so prized by many of us now, is cheap here. The towns – Cardigan, Lampeter, Tregaron and Rhayader to name a few – are small, unspoilt and delightful: they are a throwback to how much of Britain was, half a century ago. The landscape wears history lightly; sheep outnumber humans and birds of prey, wheeling on stiff wings, survey all.

Following country lanes, traffic-free paths and dedicated cycleways, Lôn Teifi and Lôn Cambria take in the finest geographical features of Mid Wales, including the great uplands known as the Cambrian Mountains. In particular, the wooded valleys with clear-running rivers are a delight to follow. The Gwaun Valley, the upper Wye Valley and the River Severn all feature, but if you ride Lôn Teifi and Lôn Cambria from beginning to end, it will be memories of the Rivers Teifi and Ystwyth that remain with you longest.

At 158km/98 miles and 182km/113 miles respectively, Lôn Teifi and Lôn Cambria are not long-distance routes. However, the cycling is tough in places and you'd be mad to rush. This guide is broken into two sections: the corresponding Sustrans map (available from sustrans.org.uk) covers both Lôn Teifi and Lôn Cambria: many will choose to ride both routes together.

Finding your way

As with the best Sustrans routes, Lôn Teifi and Lôn Cambria follow a blend of predominantly quiet, minor roads with sections of purpose-built cyclepaths and shared-use paths mixed in. There are a few short sections on busy A-roads: due care must be taken. Traffic-free sections are suitable for all bikes, with the possible exception of racers, but a hybrid bike or similar is recommended

3

for anyone following the full routes. There are a couple of short off-road sections: they are flagged and can be avoided. There is one alternative section following an off-road route over the Cambrian Mountains where you'll need a mountain bike.

Generally speaking, the route is well signposted with the blue National Route 82 (Lôn Teifi) and 81 (Lôn Cambria) signs. These are carefully sited to give you advance notice of changes in direction: you become adept at spotting them. In places, smaller route stickers augment the signs. Be aware that signs can go missing: follow them in conjunction with the latest Sustrans map and you shouldn't have a problem. In common with the entire National Cycle Network, Lôn Teifi and Lôn Cambria are under constant improvement: signs may be at variance with the map. If there is a disparity, follow the signs, which will direct you onto the newest route section.

Some small sections are through parks and along dismantled railway lines and towpaths: please be aware of pedestrians and dog walkers who share these routes, and act courteously towards them. Also, be aware of your surroundings, especially if travelling alone, and preferably time your journey so you only ride during daylight.

Sustrans volunteer rangers monitor the entire route, ensuring it is signposted and maintained. If you do encounter any difficulty, please contact Sustrans, the local authority, or the police if necessary.

The National Cycle Network and Sustrans in Wales

Sustrans is the charity that enables people to travel by foot, bike or public transport for more of their everyday journeys. Sustrans' flagship project is the National Cycle Network, which celebrated its 15th anniversary in 2010 and now carries more than one million walking and cycling journeys every day.

The Network covers around 20,000km (13,000 miles) across the UK, including some 1200 miles in Wales – roughly 10 percent of the UK network – around a third of which are on traffic-free paths that are perfect for families or less experienced cyclists. Sustrans' major project over the next three years, the Valleys Cycle Network, will add a further 100 miles of mostly traffic-free routes to the Network in the South Wales Valleys.

Together, Lôn Teifi and Lôn Cambria form one of four major routes, which extend the length or breadth of the country: National Route 8 (Lôn Las Cymru, from Holyhead to Chepstow or Cardiff) and National Route 4/47 (the Celtic Trail, from Fishguard to Chepstow) both connect to Lôn Teifi and Lôn Cambria, while the North Wales Coast Cycle Route (Route 5) stretches from Holyhead to Chester. The Sustrans website has details on all routes in Wales.

Using this guide

This guidebook is for daytrippers, weekenders and families looking for short cycles, as much as it's aimed at those who plan to follow Lôn Teifi and Lôn Cambria

Riding through the Elan Valley ▲

from start to finish. The average day section is a comfortably short distance, though sections do vary in length depending on the terrain and suitable stopping points.

Timings given at the start of each section are roughly based on an average flat speed of 15kmph, with additional time built in for uneven terrain and ascent. These timings are only a guide: if you're a strong cyclist, you'll be able to complete several sections in one day.

The book describes riding Lôn Teifi and Lôn Cambria from southwest to northeast: the one good reason for this is the prevailing southwesterly wind. If you ride the whole route, you'll almost certainly feel it pressing gently on your back at some stage. There are, however, plenty of people who choose to ride the routes the other way.

Stopping points have been chosen with

regard to a combination of things, including railway stations, tourist attractions and places to stay. Lôn Teifi and Lôn Cambria are about more than the cycling, and that is where the overnights really come into their own. If you know Wales well, you'll see it with new eyes on Lôn Teifi and Lôn Cambria; if it's your first visit, you'll be back. It's worth taking time, even whole days, off the bike to poke around the market towns and ruined castles, stroll along the beaches and hike over the lovely moorland. You'll find highlighted in this book some of the more interesting places to visit, but these are just the start.

When to go and what to take

Wales' reputation for rain is exaggerated. That said, the prevailing weather in the British Isles does comes from the west

5

making Wales the disembarkation point for much that the Atlantic throws at these islands: this includes plenty of precipitation. If you ride the whole of Lôn Teifi and Lôn Cambria, you'll get wet at some point. The sunniest months are May to August, though they're not always the driest. You can also strike it lucky in April, whilst September and October can throw up an interesting variety of rambunctious weather and glorious landscapes. Campsites, hostels and hotels will usually be open in these months.

Wales has a temperate climate: outside winter, it's rarely too hot or too cold. Good wet weather gear is essential at any time of year, but you don't need to carry too many layers. A checklist of recommended clothing would also include gloves, overshoes, light but warm and quick-drying layers, padded shorts, a helmet, sunglasses and, if you're going to be riding at dusk, reflective clothing.

On a hot day, sunscreen is vital, especially in the west where the wind can mask the power of the sun. It goes without saying that you should take plenty of food and water, particularly on the long, remote sections where supply is intermittent at best. A bell is very handy in built-up areas and on shared use paths where there are lots of walkers. Also take lights: even if you don't intend to cycle at night, it's good to know you have them. Always, without fail, carry a pump, spare tubes, tyre levers and a basic tool kit – there are entire sections of Lôn Teifi and Lôn Cambria without bike

shops, so you need to be able to carry out basic roadside repairs. With this in mind, get your bike serviced before you go.

Finally, although the sketch maps in this guide offer sufficient navigation, it's worth taking the dedicated Sustrans map – Lôn Teifi and Lôn Cambria – with you. In common with all Sustrans maps, it details the route surface, cumulative distance in mile increments, steep sections and stations, as well as points of interest and places where the route is harder to follow (available from sustransshop.co.uk).

Cycling with children

Cycling is a brilliant way for the whole family to get out and enjoy the countryside, fresh air and exercise. Some of the finest sections of Lôn Teifi and Lôn Cambria are suitable for families: the old railway line along the Ystwyth River, the traffic-free path across Cors Caron Nature Reserve and the cyclepath through the Elan Valley to Rhayader are the highlights.

If you're new to cycling with kids, some common sense is all you need to ensure your outing is both safe and fun:

• Don't overestimate what your child is capable of. Bring plenty of fun snacks and drinks to keep their spirits up.

• Study the route beforehand. Naturally, the safest route is one away from traffic. If you are on-road and there is only one adult, you should ideally cycle behind your child and wear reflective clothing.

• Children should always wear a securely

On the cycleway through Cors Caron National Nature Reserve ▶

fitted helmet, whether they are being carried on your bike or riding their own.

• Like helmets, bikes can soon be outgrown: it is dangerous for a child to ride a bike that is too big or small.

• From around 6-9 months, when babies can support their heads well, they can travel with you on a well-fitted bike seat or trailer. It's important to be aware how a baby seat affects your bike handling, especially dismounting, and that babies will be unprepared for bumps, making uneven off-road trails less suitable. Do consider, as well, that they aren't moving and will be affected by the wind, so even in good weather make sure they are well wrapped up.

Reaching the route

Lôn Teifi and Lôn Cambria are reasonably well served by rail links – there are stations at Fishguard, Aberystwyth, Caersws, Newtown, Welshpool and Shrewsbury. Most cyclists use the trains to start and finish their journeys: Fishguard Harbour (the start point) only has one train a day (and one nightly); Aberystwyth has several trains daily and Shrewsbury is a busy rail hub.

Arriva Trains Wales (arrivatrainswales.co.uk) is the main train provider in Wales. All services along the Lôn Teifi and Lôn Cambria have the capacity to carry bikes, for free, but it's often limited to two. Some routes require reservations, while on others space is allocated on a first come, first served basis. If possible, book in advance (0870 9000 773).

First Great Western (firstgreatwestern.co.uk) also operate trains between Newport and Swansea (if you're heading to Fishguard) – there are six dedicated spaces, bikes are carried for free.

Lôn Teifi: Fishguard to Aberystwyth

Lôn Teifi follows the rugged coast to Cardigan before heading inland through the magnificent scenery of the Teifi Valley, to the heartland of Mid Wales, joining the Ystwyth Valley to reach the seaside again at Aberystwyth. It is a spectacular ride which embraces the historical and geographical features that define this quiet part of the UK: sandy coves, arcing beaches, ancient woodlands, Neolithic burial chambers, medieval churches, dashing streams and lanes so quiet you'll wonder if the world has stood still.

From Fishguard, Route 82 heads east into the thickly-wooded Gwaun Valley, Europe's oldest glacial vale, and then back down to the coast at the delightful seaside town of Newport, past the reconstructed Iron Age hill fort, Castell Henllys, and the enigmatic ruins of St Dogmaels Abbey to reach the town of Cardigan.

If the sun is shining, the beaches along this section may be more than you can resist.

From Cardigan, you pick up the River Teifi and follow it from the mouth for 80km, pretty much to the source, on a wild, treeless moor above the Cors Caron Nature Reserve. It is a rare pleasure to ride the length of such a beautiful river and see it in all its guises — coiling like rope through sluggish curls and crystal riffles, and thundering over waterfalls and down deep gorges. There are numerous places to stop and picnic. Though you're following a river, the cycling can be tough as Route 82 regularly climbs in and out of the valley. The towns on the banks of the river — Newcastle Emlyn, Llandysul and Lampeter — are all full of character and unspoilt.

Just when you think you're destined for the

Aberystwyth

Tregaron

Cardigan

Newport

Lampeter

82

Fishguard

high hills on the horizon, Lôn Teifi swings west and returns to the coast, following the pretty River Ystwyth. The off-road section along the river, following a disused railway line and short sections of lanes, from Ystradmeurig to Aberystwyth, would make a fine family ride. Lôn Teifi ends on the Victorian seafront in Aberystwyth, the unofficial capital of Mid Wales and a busy university town.

Fishguard to Cardigan

Distance 39km/24 miles
Terrain Generally undulating with a couple of short, gasping ascents out of the steep-sided, heavily-wooded valleys; mainly minor roads with a tiny section of cyclepath and two stretches of A-road. No family-friendly sections **Time** 3 hours 30 to 4 hours 30 **Ascent** 591m

A fine day on the western seaboard of mainland Britain; an introduction to the hidden delights of the Gwaun Valley and the boutique seaside gem, Newport. The prevailing wind is southwesterly: if it's blowing hard, it will help you along.

Route 82 starts beside the Irish Sea at Ocean Lab (tourist information centre and café), the modern building on Goodwick Harbour. From the railway station beside the Fishguard-Rosslare ferry terminal, follow the road inland with the cliffs on your right,

past the ferry office to the roundabout: Ocean Lab is in front of you. Pick up the cyclepath here, heading along the front, away from the terminals and uphill beside the A40.

The cyclepath leaves the main road, crosses a minor road and climbs again, through a clump of pine trees to a junction where Routes 82/47 and 4 split: turn left for Route 82 (and 47). A cyclepath brings you into Fishguard town: turn right on the main street. It's worth pausing to look around Fishguard, famed as the site of the last invasion of Britain in 1797: a ragged French army was forced to surrender by the local militia and their brawny womenfolk. The old harbour is 500m below the main street, at the mouth of the River Gwaun. The glitzy 1971 version of *Under Milk Wood* starring Richard Burton and Elizabeth

Taylor was filmed around this picturesque port.

Turn left at the roundabout in front of the town hall and, after 50m, right into Hamilton Street. Take the first left, on the B4313 and climb gently out of town. Quickly, the nature of the countryside reveals itself: this is a wild, Celtic realm with signature features – unkempt, whitewashed farmsteads sunk into the hillsides, sod hedges sprouting vivid yellow, coconut-scented gorse, antique stone walls, stunted wind-bent trees and fuschia bushes. At the top of the climb, there are fine views northeast to Dinas Head and over Fishguard Bay and southeast to the weathered tors of the Preseli Hills.

The B4313 swoops down into the steep-sided, thickly wooded Gwaun Valley – apparently Europe's oldest glacial vale – and past the pub in Llanychaer. The climb out of the valley is tough: 1km after Llanychaer, Route 82 turns left, signposted 'Cwm Gwaun' (on a right-hand bend in the B4313; Route 47 to Carmarthen continues on up the hill). With your head down, it's easy to miss this turn. On a rough, single-track lane, descend steeply back to and then over the River Gwaun. The ancient, deciduous woods on both sides of the valley are particularly lovely in autumn.

Continue along the valley to the Dyffryn Arms in Pontfaen, a renowned and delightfully basic pub, run by Bessie Davies for the last 40 years. If you happen to be here on 13 January, you'll be seeing in the New Year: it's one of the last places in the British Isles to continue the tradition of Hen Galan, and celebrate the turn of the year according to the old Julian calendar (the 'new' Gregorian calendar was adopted in Britain in 1752). No food is served and beer is poured from the barrel into a glass jug.

The road rises away from the river, past the landscaped gardens at Penlan Uchaf, where you can get cream teas. In the hamlet of Cilgwyn, look out for the left turn. Beyond the Candle Museum and workshop at Cilgwyn Bridge, the lane climbs steeply on to a sloping ridge that rolls down to Newport and the coast: the glorious views on the descent warrant a stop. There is a right turn, halfway down the hill. At the bottom, turn right on to the A487 to continue on Route 82, or left to nose around Newport.

There are many places to eat and drink, including some good restaurants if you feel you've earned a splurge in this historic port, founded on the Norman wool trade at the mouth of the Nevern River. There is also a Norman castle, prehistoric burial chambers and a fine beach nearby. Newport is a lovely little town, popular with tourists in summer.

Take care on the A487: it's not busy but cars do travel fast. After 2km, near the top of a rise, turn left to Nevern. Just before this

turning, there is a right turn to Pentre Ifan, an interesting Neolithic burial chamber with fabulous views down to the sea.

In the pretty village of Nevern, Route 82 swings past the Trewern Arms, over the river and past the church dedicated to St Brynach, an Irish monk who died in 570 AD. The avenue leading to the church is made up of yews several centuries old. One of the finest Celtic crosses in Wales, standing 4m tall and carved around 1000 AD from local dolerite stone, is in the churchyard at the end of the yews.

Two hundred metres after the church, the route splits on a left-hand bend in the road. If you're riding a road bike, follow the B4582, climbing hard onto a ridge of coastal farmland with fine views back to the Preseli Hills and out over the Irish Sea, before dropping down to Croft. Sod banks full of wildflowers line this road.

If you're riding a mountain bike or sturdy hybrid, fork right on the bend

outside Nevern to join a bridleway for 1.5km, following the Nevern Valley to Felindre Farchog. Turn left on the A487 and, after 400m, left again to reach Castell Henllys, the site of a reconstructed Iron Age hill fort. After a tough climb through woods onto raised farmland, you rejoin the A487 for 1.5km and in the hamlet of Croft, where the routes rejoin, take the second left.

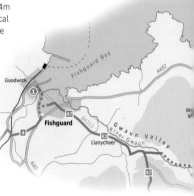

◂ High tide, Newport

What to see

❶ Ocean Lab Entertaining marine-themed centre with café and internet access on the Parrog at Goodwick. *ocean-lab.co.uk*

❷ Penlan Uchaf Gardens The views over the Preseli Hills are one good reason to pull in here; the homebaking is another. *penlan-uchaf.co.uk*

❸ Pembrokeshire Candle Centre See hand-dipped candles being made in this workshop and gallery near Newport. *pembrokeshirecandles.co.uk*

❹ Castell Henllys Four roundhouses have been constructed on Iron Age foundations here: it's a working archaeological site and there are digs going on every summer. *castellhenllys.com*

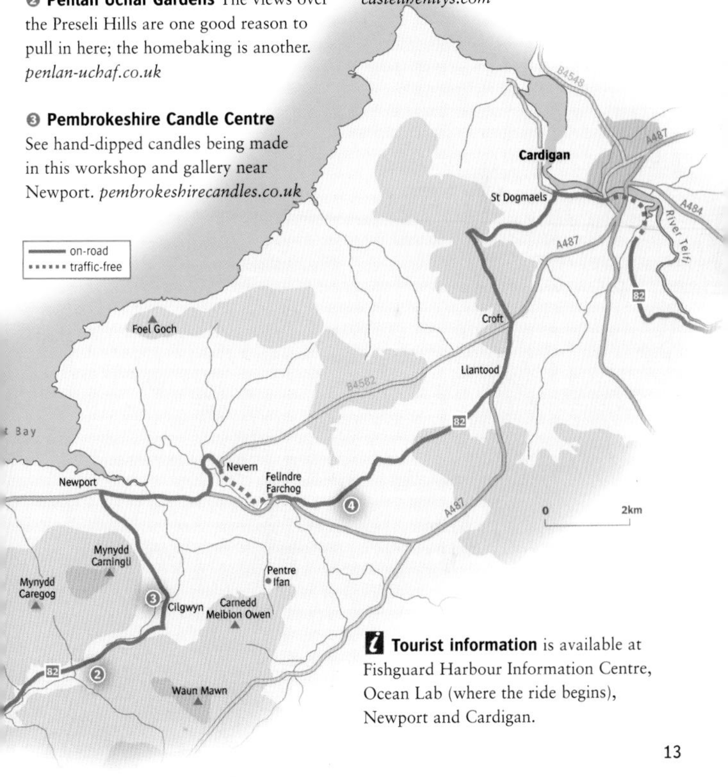

— on-road
····· traffic-free

Cardigan

St Dogmaels

River Teifi

A487

B4548

A487

A484

82

Croft

Llantood

B4582

82

Foel Goch

Nevern

Newport

Felindre
Farchog

❹

A487

0   2km

Mynydd
Carningli

Mynydd
Caregog

❸ Cilgwyn

Pentre
Ifan

Carnedd
Meibion Owen

82

❷

Waun Maun

ⓘ Tourist information is available at Fishguard Harbour Information Centre, Ocean Lab (where the ride begins), Newport and Cardigan.

After 2km, on a bend in the road, turn right (you have to look hard for the '82' sign at this junction) downhill on a lane with grass growing up the middle. It's a lovely descent through a wooded valley into St Dogmaels. Before you reach the bottom of the hill, turn left to swing past the 12th-century ruins of St Dogmaels Abbey. At the main road, turn right in front of the White Hart Inn: this road brings you into Cardigan where you turn left over the River Teifi to reach the unspoilt centre of town. There are pubs and restaurants to suit all budgets: a local speciality is sewin or sea trout, for which the River Teifi is famous. There are several fine beaches nearby.

Where to stay

Down by Goodwick Harbour, before you climb the hill to Fishguard's town centre, you can bed down at the **Celtic Diving Base**, which is happy to accommodate cyclists as well as divers in its modern lodge house (*celticdiving.co.uk*). In Fishguard, **Hamilton Lodge** (*hamiltonbackpackers.co.uk*) is a relaxed budget place close to the town centre. In St Dogmaels, **Argo Villa** (*argovilla.co.uk*) is a bike-friendly B&B, but if you prefer camping then head for caravan-free **Allt y Coed Campsite** (*alltycoed.com*) in Cardigan. A more luxurious option with grand views over Cardigan Bay is the **Gwbert Hotel** (*gwberthotel.com*), 4km from Cardigan, off Route 82.

Spares and repairs

The excellent **Pembrokeshire Bikes** in Fishguard should have anything you need before you set off in earnest and in Cardigan **New Image Bicycles** will happily give you a tune-up in their workshop, should you need it.

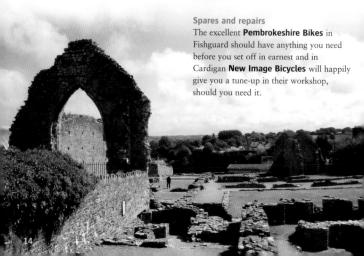

Cardigan to Llandysul

Distance **37km/23 miles** Terrain **Short, flat
sections interspersed with sharp climbs
and breathless descents, predominantly on
lanes with one stretch of A-road; all the
hills make it difficult to find a rhythm**
Time **3-4 hours** Ascent **607m**

**The Teifi is your constant companion for
the day: there's plenty of up and down,
some of it strenuous, as the route
careers through the woods and through
the meadows of this beautiful valley.**

Just beyond the bridge over the Teifi, turn
left onto a footpath down 'River walk',
heading upstream. This is a lovely section
of off-road through the Teifi Marshes Nature
Reserve, where a large number of wading
birds such as wigeons, teals and pochards
winter. There are viewing hides along the
path, overlooking the river and the
extensive reed beds.

Leave the reserve where the path rejoins
the road; turn right down the lane past

Fforest, an outdoor activity centre and
campsite, towards Cilgerran. Turn left just
before the main road and wind along the
lanes through the back of the village. Turn
left in front of the Cardiff Arms, which has a
coracle lashed to the front wall. After 1km,
halfway down a hill, turn left to Llechryd
and left again at a quiet country crossroads.

Just before the river, turn right: this
tranquil section hugs the Teifi, gently rising
and falling through thick woods, to
Abercych. Turn left onto the B4332 and go
steeply down to cross the River Cych, a
tributary of the Teifi. Climb for 1.5km before
the fast descent into Cenarth, where there
are pubs, a tearoom and a shop, as well as
the Coracle Museum, devoted to the
indigenous historic craft made of willow,
calico and pitch. A handful of salmon and
sewin fishermen still work from coracles
using nets.

There is a lovely waterfall (where, if
you're lucky, you may see salmon and sea

Welsh Wildlife Centre ▶

trout leaping – dusk is the best time) and a pool on the river here – it's a perfect spot for a picnic on a fine day.

In Cenarth, turn left on to the A484, cross the River Teifi and almost immediately turn right up a steep hill which sets the blood pumping. This pretty lane rolls down to a T-junction where you turn right onto the B4333 and spin through Cwm-cou across meadows to a T-junction; turn right to Newcastle Emlyn. Take the left turn on the A475 just before the river, signposted Lampeter. Typical of the towns in West Wales, Newcastle Emlyn is a place of unhurried charm with a strong sense of local identity and community. There is a

castle ruin, various cafés and pubs on the high street and a bike shop.

Follow the A484 with care (this can be a fast road) for 3.5km and, after a long climb, just beyond the crest of a hill, look for a right turn (at a small crossroads). The lane plunges steeply back through woods to Henllan; turn left just past the Teifi Valley Railway station. After 500m, there is a right turn in the hamlet of Trebedw that is easy to miss, as you're on a descent.

You're back beside the river: again, there are more good picnic spots. After 1km, there is another steep ascent to get round a tributary of the Teifi. At a small country crossroads, turn right and plummet back

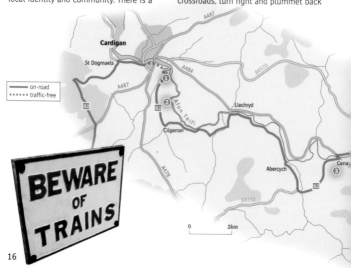

16

What to see

❶ Welsh Wildlife Centre An architect-designed centre, 200m from Route 82, with information and displays on the nature of the Teifi Marshes. There is a good café. *welshwildlife.org*

❷ Fforest Part hotel, part tipi park, part activity centre, this is an interesting place to stay if you fancy breaking the ride and doing another activity for a couple of days. *coldatnight.co.uk*

❸ Welsh Coracle Museum Home to a collection of coracles from around the world, and a workshop where they are made. *coraclemuseum.co.uk*

❹ Teifi Valley Railway In the grand tradition of Welsh narrow-gauge steam railways, the Teifi Valley Railway trains run most days between Easter and Halloween. *teifivalleyrailway.com*

▲ Teifi Valley Railway

down to an ornate bridge beside an old mill, with fine views downriver into the dramatic Alltcafan Gorge.

This section of the Teifi, between Cardigan and Llandysul, shows the river in all its moods: as well as the miles of meandering calm through meadows and the sequences of pools and crystal riffles, there are narrow gorges at Llandysul, Pentre-cwrt, Henllan, Newcastle Emlyn and Cenarth, where the water roars down from Mid Wales towards the west coast.

At the B4335, turn left, then left and immediately right onto another lane in Pentre-cwrt to cross the A486 and continue. Past Court Farm, you're climbing again. Turn left at the T-junction, down the hill, over the B4624 and into Pont-Tyweli. By the canoe centre, cross over the bridge (leaving Carmarthenshire and entering Ceredigion) above the whitewater slalom course and follow the one-way road system into Llandysul town centre.

The Teifi is physically and economically at the heart of life in Llandysul: the town was formerly the centre of the Welsh woollen industry and it's known today for canoeing and fishing. The 13th-century church is the oldest building in Llandysul: little of the town has been affected by modernity. There are some interesting shops as well as places to eat, drink and rest.

Where to stay

Between Newcastle Emlyn and Llandysul, near Felindre, you'll find rustic B&B (and also group accommodation) at **The Ceridwen Centre** (*ceridwencentre.co.uk*). Around 2km north (off-route) of Llandysul, towards Horeb, the **Happy Donkey Hill B&B** is bike-friendly and can provide evening meals (*happydonkeyhill.co.uk*). Another 2km further on, near Croeslan, is the excellent **Nantgwynfaen Organic Farm** (*organicfarmwales.co.uk*).

Spares and repairs

GM Cycles in Newcastle Emlyn will keep you on the road.

🛈 **Tourist information** is available in Theatre Mwldan, Cardigan.

Llandysul to Lampeter

Distance **26km/16 miles** Terrain **A couple of short, sharp climbs at first, before the landscape changes and the gradients of the climbs become gentler; largely on very quiet country lanes with one section of B-road** Time **2 hours 30 to 3 hours 30** Ascent **422m**

A gentler day, as the Teifi Valley widens and the landscape changes: both Llandysul and Lampeter abound with charm.

Route 82 heads north up Llandysul high street and swings round to the right, following the one-way system. Coming down the short, steep hill, turn hard left onto the B4476, past a row of cottages, to meet the River Teifi. After 1km, cross a brook and turn right onto a lane to stay with the river.

Here the Teifi is at its laziest, coiling like rope through the broad, flat valley bottom. There is a short, punchy climb to reach the farmstead, Faerdre-Fawr – you'll use every gear you've got, cycling in West Wales – and a cruise back down through a hazel and birch wood to cross over the Clettwr, a tributary of the Teifi. The lane climbs again, to join the B4459: bear right at the give way. After 1km, turn left up the hill in Glanrhyd. After 500m of ascent, take the right fork to contour round the hill.

For the first time since turning your back on the Teifi Estuary, the landscape begins to change noticeably. The valley begins to widen and there are glimpses of the distant, raised, treeless uplands of Mid Wales to the east, where you are heading. Take the right fork through Rhuddlan, and after a short climb you breast a hill: sit back and enjoy the long, gentle spin down – the first descent of this kind since leaving Cardigan. At the T-junction with the B4338, turn right to reach the edge of Llanybydder, a small market town on the far side of the river. If you happen to be here on the last

Thursday in the month, don't miss the Llanybydder horse sale, the biggest monthly fair in Wales, founded in 1898. There is a fine stone tower on St Peter's Church and a busy local pub, the Black Lion Hotel.

Route 82 continues, from the junction on the north side of the river, up the hill and along the B4337 for nearly 4km, towards Llanwnnen. At the A475, turn right and immediately left at a mini-roundabout by a shop. The terrain is getting easier and you begin to pick up a bit of speed on this section. At Capel-y-Groes, follow the road round to the right, cross the River Grannell, another tributary of the Teifi, and climb,

going straight ahead after 150m onto a lane, where the main road bends left.

After 1.5km of mainly climbing, take a right fork, past a couple of remote farmhouses. The road now heads downhill: there are fine views across the higher reaches of the Teifi Valley. Turn right at a T-junction in a copse of beech, and descend at speed into Lampeter. Turn left on the A475, which leads into the town. (Turn right after 200m, following signs, if you want to continue along Route 82 and avoid the town centre.)

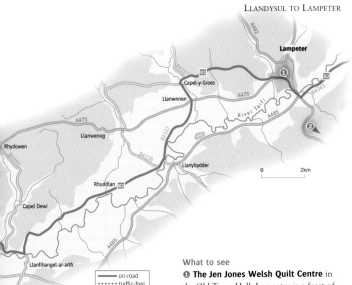

on-road
traffic-free

Lampeter is a delightful, small market town with medieval origins. Unlikely though it may seem, it even has its own university, St David's College. Established in 1822, it's the oldest university in Wales with 800 students today. Lampeter has a farmer's market twice a month and, as a regional centre for organic food, it's easy to eat well here. There are numerous places to feed and water but, if nothing else, you should stop at Conti's Café, a glorious excursion to yesteryear selling superb ice cream, all manner of delicious snacks and excellent coffee. As with many cafés in South and Mid Wales, Conti's was established by an Italian immigrant in the early 20th century.

What to see

❶ The Jen Jones Welsh Quilt Centre in the Old Town Hall, Lampeter is a feast of information about the decorative and rich Welsh quilting tradition. There are many fine examples on display. *jen-jones.com*

❷ Dolaucothi Gold Mines If you plan to take a break in Lampeter, try your luck panning for gold at Dolaucothi (15km away). *nationaltrust.org.uk*

Where to stay

Haulfan (*haulfanguesthouse.co.uk*) is a cycle-friendly B&B well-located on Station Terrace, Lampeter. **Peterwell House** (*peterwellhouse.co.uk*), also cycle-friendly, is on the outskirts of town on Maestir Road but has good views. A little further out, the **Falcondale** is a smart hotel with history and views (*thefalcondale.co.uk*).

◀ Lampeter Town Hall

Lampeter to Pontrhydfendigaid

Distance 28km/17.5 miles Terrain Largely flat or gently rolling terrain, all on B-roads, with one lovely 3.5km section on a dismantled railway line across Cors Caron Nature Reserve Time 2-3 hours Ascent 219m

An easy section through the upper Teifi Valley, via the charming old drovers' town of Tregaron. Scan the sky when you can, looking for red kites, and save time at the end of the day to visit the Cistercian abbey ruins of Strata Florida, near Pontrhydfendigaid.

Leave Lampeter on the main A-road, rolling down to cross the River Teifi on an old stone bridge. After a short climb, turn left on to the B4343. This is a fast stretch up the valley through the hamlets of Cellan and Llanfair Clydogau. Once again, the river – a gentle, wandering affair now – is your close companion.

This is classic red kite country: cast your eyes skyward whenever you can and look for a large bird of prey – they have a wingspan of nearly two metres – with a distinctive wedge-shaped tail. Circling elegantly on stiff wings, but distinctly predatory, the red kite is a spectacular and common sight in Mid Wales. Once heavily persecuted by farmers and gamekeepers, it's a small miracle the bird survived. In 1905, only five birds were known, at a remote stronghold here, in the hills above the upper Teifi Valley.

The campaign that saw their revival, led

by the likes of the Welsh Kite Trust, the Wildlife Trust of West Wales and the RSPB, is something of a blueprint for successful conservation. Wales now has more than 600 breeding pairs and, during the winter, you can observe them being fed daily at the Tregaron Red Kite Centre on the outskirts of town.

In the village of Llanddewi-Brefi, turn left, signposted 'Tregaron', in front of the church. The village name is Welsh for 'Church of David on the River Brefi' (Llan is Welsh for a church or holy place and the Brefi is a tributary of the Teifi). The Norman church, dedicated to St David, the patron saint of Wales, has a collection of Celtic crosses. The village name may sound familiar to fans of the TV series *Little Britain*: Matt Lucas' character Daffyd Thomas is the 'only gay in the village' and the village is Llanddewi-Brefi.

Route 82 stays with the B4343 and returns to the riverbank, to reach the main square in Tregaron. From the mid-1600s to the early 1900s, Tregaron was a thriving market town and an important meeting point for drovers – the itinerant men who drove cattle, sheep, pigs and geese from all over Wales to feed the burgeoning, industrialised towns of England. Droving was then a central pillar of the Welsh economy: Bishop John Williams of Bangor described the drovers in the 17th century

as, 'the Spanish fleet of Wales which brings in what little gold and silver we have'.

The Talbot Hotel on the pretty square in Tregaron is an historic hostel and formerly a mustering point for drovers from all over Ceredigion, before they took the high road over the Cambrian Mountains via the Cwmberwyn Pass and Abergwesyn. In 1810, the strong local economy based on wool, droving and other businesses such as blacksmiths and public houses, led to the opening in the town of the first bank in Wales, the Black Sheep Bank of Aberystwyth and Tregaron. The square is overlooked by a statue of Henry Richard, son of Tregaron, secretary of the Peace Society and an early advocate of the League of Nations after World War I.

Across the square from the Talbot Hotel is the Rhiannon Welsh Gold Centre, where jewellery using traditional Celtic motifs and made from Welsh gold, can be purchased: there is a Welsh craft shop next door. Ffair Garon, or Tregaron Fair, is a traditional event dating back to 1292, held on the Whitsun bank holiday.

Route 82 turns left in the main square, crosses over the stream and goes immediately right, still following the B4343. After 3km, look for a car park on your left: this is the entrance to Cors Caron National Nature Reserve and the start of a lovely 3.5km cyclepath, following a

◄ Llanddewi-Brefi

dismantled railway line. Cors Caron is an important example of an upland bog, a national reserve since 1955 and home to several rare species of plants such as sundews, bog rosemary and cotton grasses, which have adapted to the acidic conditions. More than 150 bird species, both local and migratory, use the 816 acres of bog as a haven: many, including teal, curlew, redshank, snipe and, of course, red kites, can be viewed from the hides.

At the northern end of the reserve, just before the hamlet of Ystradmeurig (if nothing else, this journey will dramatically improve your pronunciation of Welsh place names), Route 82 turns left towards Aberystwyth and the coast. It is well worth turning right on the B4340 and detouring 2km to Pontrhydfendigaid, a village tucked in on the western flanks of the Cambrian Mountains and known locally as 'Bont'. Just over 1km upstream of the village on the Teifi is Strata Florida, the ruin of a Cistercian monastery founded in the 12th century. The site figures highly in the Welsh

imagination, partly because several princes of the House of Deheubarth and possibly the great Welsh poet, Dafydd ap Gwilym, were buried here in medieval times, but it's also set in a beautiful and remote location, surrounded on three sides by hills: it's an archetypal Welsh landscape and, as the early Cistercian monks noted, 'far from the concourse of men'.

Where to stay

Just outside Llanddewi-Brefi, you'll find an excellent B&B with good views and evening meals at **Brynheulog** (*brynheulog.com*). Further on, in Tregaron, you can't miss the cycle-friendly **Talbot Hotel**, a former drovers' inn (*talbothotel-tregaron.com*). In Pontrhydfendigaid, you have a choice of two cycle-friendly hotels, **The Black Lion** (*blacklionhotel.co.uk*) and **The Red Lion** (*redlionbont.co.uk*). The Red Lion also offers the option of camping.

ℹ Tourist information is available at Strata Florida, near Pontrhydfendigaid.

◀ Ruins of Strata Florida

What to see

❶ Tregaron Red Kite Centre For information about red kites as well as other birds found in the area, and the rich history of this rural community. Good homemade cakes too. *brynheulog.com*

❷ Cors Caron National Nature Reserve Over 2000 acres of raised peat bog, reedbed, ponds and woodland with boardwalks, hides and plenty of wildlife interest. *ccw.gov.uk*

❸ Strata Florida This former Cistercian abbey just outside Pontrhydfendigaid is a delightfully enigmatic and typically Welsh ruin. *castlewales.com/strata*

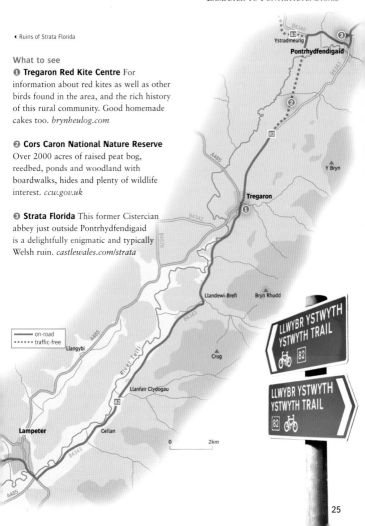

— on-road
····· traffic-free

0   2km

25

Pontrhydfendigaid to Aberystwyth

Distance 26km/16 miles Terrain Largely
flat, on minor roads and lanes, with a long
section following a dismantled railway line
and the river into Aberystwyth
Time 2-3 hours Ascent 270m

**The final section of Lôn Teifi turns away
from the moors of Mid Wales and heads
back to the coast along the pretty River
Ystwyth to reach the busy seaside town
of Aberystwyth, the unofficial capital of
Mid Wales.**

In Pontrhydfendigaid, the ways split: the
bulk of this route description assumes you
are going into Aberystwyth on Lôn Teifi/
Route 82.

First, though, the alternative: if you are
heading straight on to Shrewsbury along
Lôn Cambria, and missing Aberystwyth, turn
right at the north end of the village of
Pontrhydfendigaid and climb for over 1km

to Ffair-Rhos. From here, there are two
routes to Rhayader: the shorter route,
around the Teifi Pools – the source of the
river you've followed from its mouth – and
down past the Claerwen Reservoir, is only
suitable for off-road bikes. It's a tough climb
over the top of the Cambrian Mountains
and there is little or no traffic on this route:
carry all you need to eat and drink and
appropriate clothing. In the event of a
breakdown, you'll have to carry out all your
own repairs too. Alternatively, in Ffair-Rhos,
stay on the B4343 for 5km to reach Pont-
rhyd-y-groes, where you meet the River
Ystwyth and join Lôn Cambria/Route 81
(see page 35).

If you're following Lôn Teifi/Route 82 into
Aberystwyth, bear left at the north end of
Pontrhydfendigaid on the B4340, retracing
your route of the previous day to
Ystradmeurig. Turn left, back onto the

◄ Downhill to the Ystwyth Valley

cyclepath that crosses Cors Caron and almost immediately right, continuing along the dismantled railway line for 3.5km to meet the road again in Tynygraig. On the B4340, you descend: slowly at first and then you're whooshing down into the Ystwyth Valley. Route 82 goes left before the bottom of the hill: you have to go slowly and look out for the turn. At this point, you pick up Route 81 signs. (If you're on a road bike, go straight on, cross the river at the bottom of the hill and follow the B4340 for 3km to Trawsgoed, turning left over the river again to join up with Route 82.)

If your bike can handle a section of byway then go left past some houses, across a stream, into the forest, and then left uphill on a bridleway to join the disused railway line once again. Turn right here. After 1.5km you meet a lane; turn right down the hill and then take the second right fork by Dolfor; after just over 1km, you come to Trawsgoed, an ancient Welsh estate owned by the Vaughan family since 1200. Turn left uphill, pass under the old railway bridge and turn right to get back onto the disused track. After nearly 1km, you turn left and immediately right to cross the B4575. This is the beginning of a delightful section of off-road cyclepath lined with gorse and dog rose, following the dismantled railway, with the River Ystwyth immediately on your right.

The railway, originally a section of the Manchester and Milford line, was built as

27

part of an ambitious plan to connect Haverfordwest with Manchester, via the wilds of Mid Wales, in order to transport imported cotton. The plan came a cropper in the late 1860s, attempting to tunnel through the Cambrian Mountains east of Cwmystwyth, and the route was diverted. The line ceased transporting goods in 1964 and passengers a year later. The train travellers' loss is the cyclists' gain: the track offers lovely views across the riffling shallows and pools of the river to the bracken-clad hillsides beyond. At Llanilar (there is a pub in the village), you can just make out the old platform in the undergrowth.

There are numerous places to stop, picnic and dip your toes in the river. There is a long, straight section of river past Llanilar. On a right-hand bend, the cyclepath ends: turn right and cross the concrete bridge – following 'Ystwyth Trail' signs – and left on a bridleway, climbing a little. Take the left fork and pass through a gate onto an asphalt path that contours the hill and pops out onto a rough vehicle track that turns into a single-track lane. Still following 'Ystwyth Trail' signs, turn left down to the A487. Turn right and almost immediately left into a new housing development. At the end of the tarmac, go onto a track – a new traffic-free path that again follows the dismantled railway line and takes you into Aberystwyth, avoiding the A-road. After almost 1km, you come to a lane; turn right and, after 150m, left back to the railway line. The River Ystwyth is again by your side: look out for kingfishers and stonechats, then oystercatchers and ringed plovers nearer the shore. There are fine views of the proud promontories that face the sea and enclose the town before you arrive at a raised shingle bank, and the Irish Sea.

A single-track lane passes beneath Pen Dinas, site of an Iron Age hill fort and a memorial erected in 1858 to honour the Duke of Wellington: this is a good hill to climb if you fancy dismounting for an hour

What to see

❶ National Library of Wales Here you'll find a shop and restaurant, as well as exhibitions of the library's extensive collections. *llgc.org.uk*

❷ Aberystwyth Castle Once among Wales' greatest, the remaining ruin is in a grand position overlooking the Irish Sea. *aberystwyth.com/castle*

❸ Aberystwyth Cliff Railway If your legs are weary, take a trip up Constitution Hill on the charming electric railway for great views and the world's largest camera obscura. *aberystwythcliffrailway.co.uk*

Spares and repairs

The excellent **Summit Cycles** on North Parade has a workshop and any spares you should need.

ⓘ **Tourist information** is available on the centrally located Terrace Road, just back from the seafront in Aberystwyth.

— on-road
····· traffic-free

Trawsgoed

Pont-rhyd-y-groes

Ysbyty
Ystwyth

Tynygraig

Alternative MTB route
to Elan Valley

Ystradmeurig   Ffair-Rhos

Pontrhydfendigaid

2 SUNDAY LUNCHES £10

or two. You enter the southern end of the town via a housing development above Aberystwyth Harbour. Follow signs through town, across a new bridge over the River Rheidol and onto the seafront.

Aberystwyth, known as the 'Brighton of Wales' when hordes of upper-middle class English holidaymakers made it fashionable in Victorian times, is a small, self-contained town and the unofficial capital of Mid Wales. It's easy to find your way around.

The lovely seafront is a fitting finale to Lôn Teifi: it stretches south from Constitution Hill to the mouth of the harbour. There are several historic buildings including the ruins of a medieval castle, the Old College of Aberystwyth University (there's an influx of some 8000 students into the town during term time) and the railway terminus, displaying an interesting mix of Gothic, Classic Revival, Victorian and Edwardian architecture. 'Aber', as it's colloquially known, is also home to the National Library of Wales. There are several beaches to choose from: if you've pedalled from Fishguard, you've earned a dip. Lôn Teifi officially finishes at the Royal Pier, Wales' first pleasure pier, built in 1865.

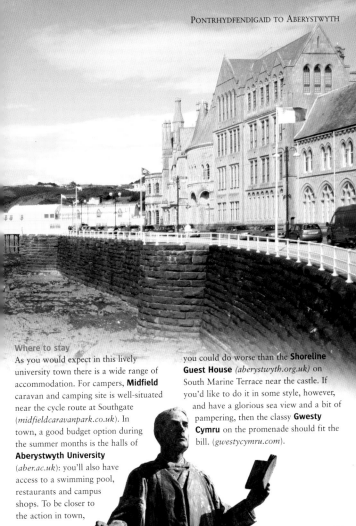

Where to stay

As you would expect in this lively university town there is a wide range of accommodation. For campers, **Midfield** caravan and camping site is well-situated near the cycle route at Southgate (*midfieldcaravanpark.co.uk*). In town, a good budget option during the summer months is the halls of **Aberystwyth University** (*aber.ac.uk*): you'll also have access to a swimming pool, restaurants and campus shops. To be closer to the action in town, you could do worse than the **Shoreline Guest House** (*aberystwyth.org.uk*) on South Marine Terrace near the castle. If you'd like to do it in some style, however, and have a glorious sea view and a bit of pampering, then the classy **Gwesty Cymru** on the promenade should fit the bill. (*gwestycymru.com*).

Lôn Cambria: Aberystwyth to Shrewsbury

From the Victorian seafront in Aberystwyth, Lôn Cambria follows the River Ystwyth east, high into the Cambrian Mountains and on past the grand reservoirs of the Elan Valley towards the English border, following both the Wye and the Severn – two of the UK's great rivers.

Route 81 begins gently on a dismantled railway line, following the River Ystwyth. It

is a lovely ride that would make a great day out for the family. After 17km, the road rises through a steep-sided, heavily wooded gorge and you begin a long but continually rewarding climb amidst glorious scenery, particularly on the Hafod Estate, into the hills. There is much evidence of the mining activity that saw lead and zinc extracted from Roman times until the 20th century.

The treeless plateau on top of the Cambrian Mountains is a damp, squelchy paradise of green and russet browns known as the 'Welsh desert'. It is an enigmatic place, with red kites wheeling overhead: catch this upland moonscape on a clear day and it will etch itself onto your memory.

The glorious descent down through the Elan Valley is equally unforgettable: much of it can be ridden on the Elan Valley Trail – a seemingly effortless 14km section of traffic-free path that leads past the Victorian dams to Rhayader, where Route

81 meets the Wye Valley. This, too, would make a great family ride. From Pont-rhyd-y-groes, there is an alternative route over the Cambrian Mountains, following a remote track past the source of the River Teifi: it's only suitable for mountain bikes.

From Rhayader, the route wends north along the Wye and then over hills to the pretty market town of Llanidloes where it joins the River Severn – an intermittent companion all the way to Shrewsbury. Once again, though, Lôn Cambria regularly veers up and away from the valley bottom, and the legs will feel it.

Aberystwyth to Pont-rhyd-y-groes

Distance 24km/15 miles Terrain Largely flat for the first 16km, following the River Ystwyth, mainly on a dismantled railway line, then rolling gently through a gorge; one climb to reach the old mining town of Pont-rhyd-y-groes. There is no bike shop between Aberystwyth and Rhayader: make sure you have all you need Time 2-3 hours Ascent 415m

A lovely introduction to Lôn Cambria and the beauty of the River Ystwyth.

Lôn Cambria officially starts at the Royal Pier, a surviving emblem of this affable town's heyday as a popular seaside destination. Ride south, along the elegant promenade, past the fragmented ruins of the medieval castle and down South Marine Terrace, as far as the yacht marina. Turn left down Quay Road and follow signs to the new footbridge, which crosses the River Rheidol. Cross the A487 (left and immediately right) and climb a small hill, on Felin y Mor Road, through a housing development, past the harbour and onto a single-track lane with a shingle bank and the beach on your right, passing beneath Pen Dinas, the site of an Iron Age hill fort and a memorial erected in 1858 to honour the Duke of Wellington. There are lovely views down the coast.

When you reach some old farm buildings, fork right through a gate onto the new tarmac cyclepath, built atop the dismantled

◄ Aberystwyth promenade

railway line. With your back to the sea, follow the river on the Ystwyth Trail. This is a delightful, gentle section across river meadows and a fine beginning to your journey across Wales. Look out for kingfishers, stonechats, oystercatchers and ringed plovers near the shore.

Turn right onto a lane at the end of the cyclepath and, after 150m, left through a double gate and climb gently on the cyclepath. After 1km, you meet a road: go straight ahead for 100m, then right and immediately left to cross the A487: take care. Turn right at the T-junction after 50m and follow the single-track lane. The lane turns into a bridleway – go straight ahead up the hill, and fork right, downhill after 100m. Skirt round a lovely meadow to join another bridleway which brings you down to a bridge over the River Ystwyth. Cross and join the cinder cyclepath, following the course of the old railway line again.

The railway, originally part of the Manchester and Milford line (*see page 28*), is wonderful to pedal along. Dr Beeching can never have imagined the pleasure he would bring to cyclists when his report on the railways led to the mass closure of branch railway lines

across the UK in the 1960s. Sustrans have happily led the charge to open many of the dismantled lines up – a fact that you will celebrate as you ride along the River Ystwyth.

After several lovely kilometres, the cyclepath brings you to the B4575: go left and immediately right, back onto the old railway line, climbing gently for another 500m. At the next lane, turn left under the railway bridge. After 100m, at the junction by the river, turn hard right, still following signs for the Ystwyth Trail, onto another lane. (If you are on a road bike and don't fancy the section of bridleway ahead, cross the river here and turn right on the B4340 in Trawsgoed: rejoin Route 81 after 3.5km, at the next bridge upstream.)

After just over 1km, fork left. When you start to climb steeply, look for the old railway line on your left. The cyclepath turns into a bridleway and drops down to cross a stream. You pass a row of cottages and meet the B4340: here the Ystwyth Trail and Route 82 head right. For Route 81, turn left down a short hill and right just before the river.

The road enters a steeply sided, heavily wooded and beautiful gorge here. There are several disused mines on the far side of the fast-running, crystal clear waters: silver,

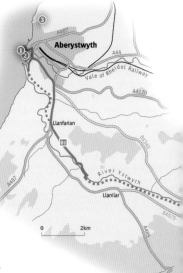

lead and zinc were mined in the valley from Roman times until the industry peaked in the 18th century. There is no active metal mining any more: the legacy is higher than normal levels of zinc and lead in the river, which seep from abandoned mines.

The road rises above the river to arrive in the former mining village of Pont-rhyd-y-groes, which means 'Bridge by the Ford of the Cross'. An important village in the 19th century, Pont-rhyd-y-groes was the centre of the Lisburne lead mining operation and, for a period in the 1880s, the second largest lead mine in Britain. The waterwheel dating from this time has been reconstructed and is in situ as you enter the village. There is a shop, a good pub and various other bits of mining memorabilia. If you have time, a walk along the river is a delight too.

What to see

❶ National Library of Wales Here you'll find a shop and restaurant, as well as exhibitions of the library's extensive collections. *llgc.org.uk*

❷ Aberystwyth Castle Once among Wales' greatest, the remaining ruin is in a grand position overlooking the Irish Sea. *aberystwyth.com/castle*

❸ Aberystwyth Cliff Railway If your legs are weary, take a trip up Constitution Hill on the charming electric railway for great views and the world's largest camera obscura. *aberystwythcliffrailway.co.uk*

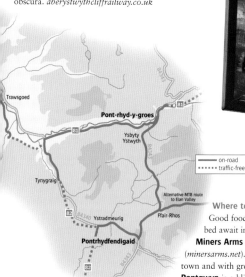

on-road
traffic-free

Spares and repairs
The excellent **Summit Cycles** on North Parade, Aberystwyth, has a workshop and any spares you should need.

🛈 **Tourist information** is available on the centrally located Terrace Road, just back from the seafront in Aberystwyth.

Where to stay
Good food and a reasonably-priced bed await in the warm and welcoming **Miners Arms** in Pont-rhyd-y-groes (*minersarms.net*). Alternatively, just out of town and with great mountain views, **Pantgwyn** is a blissful B&B on a working smallholding. There is more choice if you head off-route up to Devil's Bridge for the night. The historic **Hafod Hotel** has plenty of comfortable rooms and views of the famous waterfalls and bridges (*thehafodhotel.co.uk*), and for those with tents **Woodlands Caravan Park** has all you need (*woodlandsdevilsbridge.co.uk*).

◄ Crossing the Rheidol

Pont-rhyd-y-groes to Rhayader

Distance **38km/23.5 miles**
Terrain **Mountainous, on quiet roads; a
strenuous climb from Cwmystwyth onto a
dramatic and lovely plateau of the
Cambrian Mountains, followed by a
delightful, long descent through the Elan
Valley; there is an off-road path through
the Hafod Estate and a cycleway through
the Elan Valley. Stock up on all supplies in
Pont-rhyd-y-groes before departing**
Time **3-4 hours** Ascent **800m**

**Crossing the Cambrian Mountains is a
highlight of riding Lôn Cambria: this is
the heartland of Wales, where the
weather can be wild and unforgiving.
Catch it on a clear day, and the ride
will brand itself onto your memory.
There is an alternative route for
mountain bikes, via the Teifi Pools and
the Claerwen Reservoir to Rhayader,**
and a shortcut over the top from the
upper Ystwyth Valley to the Wye Valley.
Take supplies with you for the whole
day, on all routes.

If you are riding a mountain bike and
fancy an adventure, you can reach Rhayader
via an alternative route with a long off-road
section. Head south from Pont-rhyd-y-groes
on the B4343: it's a tough climb to reach
Ffair-Rhos where you turn left onto a lane.
This road climbs, steeply in places, to reach
the Teifi Pools, the source of the River Teifi.
The road turns into a track over the
mountains and past the Claerwen Reservoir.
At the dam, you're back on tarmac. The
routes join up at Caban-Coch Reservoir,
before the final section down to Rhayader.

If you're following the regular Route 81,
take the B4343 past the Miners
Arms, north out of Pont-rhyd-
y-groes and over the

River Ystwyth. The road bears right and, after 100m, fork right onto a track, passing Lower Lodge to enter the Hafod Estate. For 3km, Route 81 meanders through beautiful countryside: it's off-road, largely on well-kept 4WD tracks with a section on a rougher byway. The alternative is to stay on the B-road and head for Cwmystwyth.

Thomas Johnes, a farmer, landscape architect, writer and social benefactor, created the Hafod Estate. Johnes inherited 10,000 acres of Ceredigion uplands in 1780 and set about transforming it with extraordinary gusto. He ran an experimental farm, built houses and schools and planted some 4 million trees between 1782 and 1813. Inspired by William Gilpin's 'Picturesque principles' of landscape, Johnes turned the house and grounds, full of waterfalls, grottoes and hanging gardens, into a place celebrated across Europe, a Welsh Xanadu. He planted larch and Scots pine on high ground and oak and beech lower down. The stately home fell down in the 20th century, but the beauty of the landscape Johnes created remains. The Hafod Trust and the Forestry Commission now manage the estate.

Route 81 is a little tricky to follow across the estate: you have to use your sense of direction. The track stays by the River Ystwyth initially, in a beech forest. After a gate, the track climbs: turn right when you meet a better maintained forestry track,

which enters a clearing and leads back to overlook a delightful stretch of the river. At the next fork in the forestry track, go left and climb slowly until you're on tarmac. Here, there are fine views ahead, over the mountains.

When you meet the B4574, turn right. There is a steep drop to cross a stream and a short climb. At the give way, turn right, signposted Rhayader. The road passes through Cwmystwyth (according to the Ordnance Survey, the centre point of Wales) and begins to climb steadily. The ascent goes on for 8km; brace yourself. The reward is a road once described by the AA as 'one of the ten most scenic drives in the world'.

People began mining for copper in the Ystwyth Valley in the Bronze Age, over 3500 years ago. There is archaeological evidence of mining activity from the Roman occupation of Britain and the medieval period. The crumbling remains of the mines and assorted buildings that you see by the road, winding up the valley, are memorials of the peak in zinc ore mining during the 19th century. The heaps of waste rock, the waterwheel pits and leat systems and the structures all add up to make a distinct and interesting landscape, somehow enhancing the glorious countryside.

Halfway up, at Blaenycwm, just before the road crosses the river and you leave all forms of human habitation behind, there is

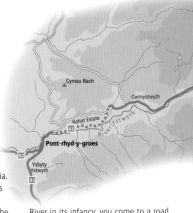

an alternative, high-level route (Route 818), off to your left. This is a shortcut to the Wye Valley and Llangurig, missing out Rhayader and skipping 44km of Route 81: a Land Rover track at first, it turns into a single-track road. It is a spectacular ride, with plenty of climbing, topping out at 530m, the highest point on Lôn Cambria.

Continuing up the Ystwyth valley, it's just you, a strip of tarmac and endless tussock-covered hills. Near the top of the climb, you can see the white turbines of Cefn Croes, once the biggest, and most controversial windfarm in the UK. One last pull and you're on top of Mid Wales.

The road heads southeast, skirting a large upland bog: half earth and turf and half water, this is a characteristic feature of the Cambrian Mountains. On your left is moorland, full of meadow pipits and skylarks in summer. Look up and you're likely to see a red kite and perhaps a merlin. After 7km, past a couple of very remote farmsteads and a stretch of the Elan

River in its infancy, you come to a road junction heading uphill. Turn right and drop down into the Elan Valley, with Craig Goch, the uppermost reservoir in the valley, before you. It is a wonderful view.

The road winds round Craig Goch. Cross over the first dam and turn right, onto a cycleway – the old railway line – for a seemingly effortless 14km section (the Elan Valley Trail) of traffic-free path down to Rhayader. The Elan Valley was a noted beauty spot long ago (the poet

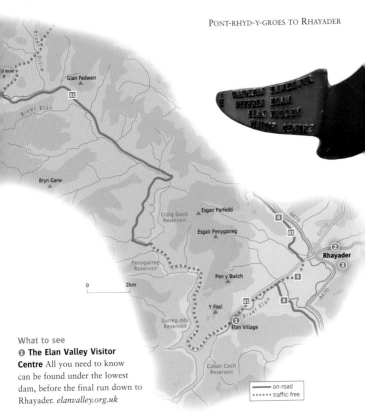

What to see

❶ The Elan Valley Visitor Centre All you need to know can be found under the lowest dam, before the final run down to Rhayader. *elanvalley.org.uk*

❷ Welsh Royal Crystal See craftsmen at work, blowing and cutting glass on regular tours and demonstrations. Also café and shop. *rhayader.com/crystal*

❸ Gigrin Farm Red Kite Centre Kites, buzzards and ravens fly down to feed at the hides every afternoon on this very wildlife-friendly farm. *gigrin.co.uk*

Spares and repairs

The easy to find **Clive Powell Mountain Bikes** in Rhayader should be able to help you on your way.

ℹ **Tourist information** is available in Rhayader at the Leisure Centre, off North Street.

◂ Craig Goch Dam

Percy Shelley lived here for a while, in 1812), but it was the massive dam project, built to provide water for the people of Birmingham that put the place on the map. The dams were completed in 1904 and opened by King Edward VII. They are now also used to produce renewable electricity from hydropower. A considerable conservation effort has ensured that around the dams, flora and fauna are thriving again. There is plenty of coniferous woodland; lower down it is broadleaf with a large population of sessile oaks.

The traffic-free path brings you onto the B4518, on the outskirts of Rhayader. Turn right to head into the town centre.

Where to stay

Rhayader has a good range of accommodation. For camping, try **Wyeside Camping Park** (*wyesidecamping.co.uk*) just to the north of the town or **Gigrin Farm** (*gigrin.co.uk*), a short ride to the south. Among the ample bed and breakfasts are the simple but bike-friendly **Brynteg** and **Liverpool House** on East Street (*liverpoolhouse.co.uk*). Right by the clocktower, the smart **Ty Morgans** (*tymorgans.co.uk*) offers a bar, bistro and rooms. Out of town, **Beili Neuadd farmhouse** (*midwalesfarmstay.co.uk*), 3km to the northeast along Regional Route 25 off Abbeycwmhir Road, offers bunkhouse accommodation, B&B and chalets.

Rhayader to Newtown

Distance 48km/30 miles Terrain Generally
flat as far as Llangurig, then seriously hilly;
all on quiet country lanes, with a section
of cyclepath leading into the heart of
Newtown Time 3-4 hours Ascent 865m

**A ride of two distinct halves: to
Llangurig, you follow the upper reaches
of the River Wye – a gentle excursion
with plenty of time to reflect on the
beauty of this valley; from Llangurig to
Newtown, it's unremittingly, thigh-
burningly hilly.**

Rhayader, on the banks of the River Wye,
has been a crossing place for centuries.
Bronze age men came down from the hills
and met here, Roman legions forded the
river, drovers gathered their livestock before
heading to England's industrial cities, mail
coaches changed horses and the railway ran
through the town until 1962, when the
Beeching cuts consigned Rhayader to a

transport backwater. It has retained much of
its charm and architectural integrity, and
because of the acclaimed beauty of the
Elan Valley, it's quietly become a tourist
destination. There are several good pubs
and restaurants.

The Cambrian Mountains are now behind
you and the nature of Route 81 changes
dramatically today. From the town clock at
the central crossroads, head up West Street,
back towards the Elan Valley, cross the
River Wye and after 500m turn right, just
past the point where the Elan Valley Trail
meets the B4518.

Between Rhayader and Llanidloes, Route
81 follows National Route 8 (Lôn Las Cymru
– another superb Sustrans route that
traverses Wales, from Holyhead on
Anglesey, far to the north, to Cardiff or
Chepstow in the south). After 1km, turn
right uphill and then descend into the Wye
Valley. The river and the route of a

◀ Cycling in the Elan Valley and (this page) Rhayader bike shop

43

dismantled railway are to your right. You pass through several woods and you can hear the buzz of traffic on the A470, which redoubles the pleasure of cycling down this empty, lovely lane.

You climb to reach Nannerth-fawr farm at a bend in the river, and there are fine views down the valley. The River Wye, the fifth longest river in the UK, is in its upper reaches here: it rises on Plynlimon, close to the source of the River Severn, 25km or so to the northwest, in the Cambrian Mountains. It is a sparkling, clear, sometimes dashing companion to Lôn Cambria as far as Llangurig.

Nearly 10km from Rhayader, you come to a T-junction: turn right, back towards the river and, after 100m, left onto another lane, still heading upstream. After another 6km, you cross over (and part company with) the Wye on the outskirts of Llangurig.

In Llangurig, turn left (there is a village shop on the corner) and immediately right (by the Bluebell Inn) to cross the A44 and continue. The lane goes uphill steeply, and continues to rise and fall across the low hills that divide the Rivers Wye and Severn. There are two steep descents that will test your brakes: take care if the road is covered in leaves and wet. After a little over 6km, you come to a give way: turn right, signposted Llanidloes. In the town, turn right across the River Severn and, at the end of Penygreen Road, right again over the river and into the centre.

The Old Market Hall in front of you at the central crossroads is the most distinctive building in Llanidloes. It's also the last surviving half-timber-framed market hall in Wales. Historically, Llanidloes was relatively prosperous: lead mining, textiles and the flannel industry all brought money to the town in different centuries, and the wealth is represented in the architecture. The upper storey of the Old Market Hall houses a museum devoted to the timber-framed buildings. All amenities are available, including a wholefood shop and a good café: Llanidloes has a reputation as a haven for 'green' living.

Turn left at the Old Market Hall and, at the roundabout at the bottom of Long

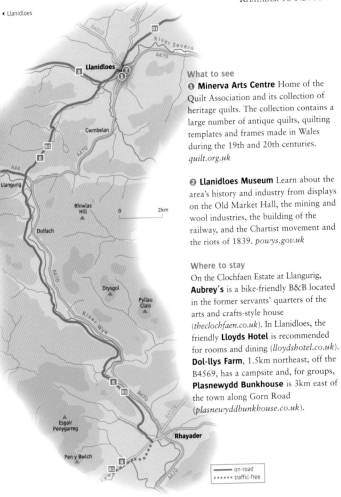

What to see

❶ Minerva Arts Centre Home of the Quilt Association and its collection of heritage quilts. The collection contains a large number of antique quilts, quilting templates and frames made in Wales during the 19th and 20th centuries. *quilt.org.uk*

❷ Llanidloes Museum Learn about the area's history and industry from displays on the Old Market Hall, the mining and wool industries, the building of the railway, and the Chartist movement and the riots of 1839. *powys.gov.uk*

Where to stay

On the Clochfaen Estate at Llangurig, **Aubrey's** is a bike-friendly B&B located in the former servants' quarters of the arts and crafts-style house (*theclochfaen.co.uk*). In Llanidloes, the friendly **Lloyds Hotel** is recommended for rooms and dining (*lloydshotel.co.uk*). **Dol-llys Farm**, 1.5km northeast, off the B4569, has a campsite and, for groups, **Plasnewydd Bunkhouse** is 3km east of the town along Gorn Road (*plasnewyddbunkhouse.co.uk*).

Bridge Street, left over the River Severn and bear right down Eastgate Street. After 500m, fork right onto a lane. Between this point and Newtown, Lôn Cambria is very hilly and tough going: brace yourself.

Just over 2km from Llanidloes, at the top of a hill, fork right and begin to descend: the road sweeps round to the right, into the hamlet of Oakley Park – you're travelling fast. Look out for the left turn, downhill – the signpost is difficult to see. The Oakley Park Presbyterian Chapel is on the corner. Cross the brook at the bottom of the vale and climb again, for 1.5km.

On a long, lovely descent, look for the left turn as you enter a wood, signposted 'Caersws'. Climb again and descend – there's scarcely time to catch your breath on the tops of these hills – and at Trewython-fawr farm, turn right. This lane brings you down into a valley, alongside the River Trannon, a tributary of the River Severn. The flat, final 1km into Caersws comes as some relief.

Turn right onto the B4569, cross over the railway line (there is a station here) and enter Caersws. Turn right on the A470 (with care). There are a couple of shops, a pub and a good café here.

Route 81 heads south on the A470 out of Caersws, over the River Severn to the junction with the A489. Taking great care, turn right here, cross the railway line and immediately left onto Moat Lane. It's uphill for 2km. At the top of the steepest section, climbing Belan Hill, turn right at the T-junction and left after 200m, past Bryn-

helyg farm. Stay on this lane: it's a lovely descent, with good views, to the village of Stepaside. Turn right and immediately left at the T-junction: this road brings you alongside and then across the Mochdre Brook: at a roundabout on the edge of an industrial estate, go straight ahead onto a cyclepath that leads to a housing estate: you are now in Newtown.

Wiggle through the estate, under the railway line, over the A489 at a zebra crossing and left into another housing development. Follow signs onto a cyclepath that leads to a public park bordering the River Severn. Keep the water on your left until you arrive at a footbridge. The town centre and railway station are to your right.

What to see

❶ **The Oriel Davies Gallery** in Newtown is one of Wales' leading public art galleries. *orieldavies.org*

❷ **The Robert Owen Museum** is devoted to the life of one of the world's greatest social reformers. *robert-owen-museum.org.uk*

❸ **The Textile Museum** on Commercial Street, Newtown gives a fascinating insight into the area's textile manufacturing past.

Where to stay

In Newtown, the popular **Elephant and Castle Hotel** is easy to find on Broad Street (*elephantandcastlehotel.co.uk*) and **Yesterdays Guesthouse** is not far away on Severn Square (*yesterdayshotel.com*). Out of town, near Kerry, **The Forest Country House** is a beautifully-located B&B (*bedandbreakfastnewtown.co.uk*), as is **The Old Vicarage** near Dolfor (*theoldvicaragedolfor.co.uk*).

Spares and repairs

Brooks Cycles on Bridge Street, Newtown will keep you rolling along.

i **Tourist information centres** can be found in Llanidloes on Long Bridge Street and in Newtown on Back Lane.

47

Newtown to Welshpool

Distance 27km/16.8 miles **Terrain** Rolling hills, mainly on quiet B-roads and lanes, with a 4.5km family-friendly section of cyclepath/towpath, heading through and then out of Newtown
Time 2-3 hours **Ascent** 374m

Perhaps the easiest section of Lôn Cambria, through wooded hills and farmland, allowing time to explore the medieval market towns of Newtown and Welshpool.

Newtown, established in the 13th century by Edward I near a ford on the River Severn,

is the largest town in Mid Wales. Prosperity came during the Industrial Revolution, when Newtown was the 'Leeds of Wales' and the centre of the nation's woollen and flannel trade. In the latter half of the 20th century, the town grew again significantly – it was declared a special development area in an attempt to arrest the population decline. Thankfully, many of the architecturally interesting buildings in the centre, from timber-framed pubs to the Greek Revival Flannel Exchange, were left intact.

Cross over the River Severn via the footbridge and continue downstream along

the shared-use path, hugging the river, under a roadbridge and out of town parallel with the B5468, for 3km. Here, you are following the Newtown Riverside Path. Cross over a lane beside the Newtown Waterworks to join a cinder trail that crosses the Pwll Penarth Nature Reserve, following the Severn Way along the towpath of the disused Montgomery Canal. To explore the reserve, cross over the stile on foot.

After almost 1km, leave the towpath in Aberbechan. Turn left to cross the canal and, at the first road junction, turn right onto the B4389 following a tributary of the Severn upstream into the hills. After 1.5km, follow the road round to the right, gently uphill to Bettws Cedewain. Turn right in the village, in front of the New Inn. The road rolls through managed woodlands and arable farmland for 8km. The steeper-sided valleys are behind you now, and the landscape becomes a little more even as

you approach the English border. This may be some relief.

There is a steep descent to cross Llifior Brook. Passing Vaynor Park on your left, you drop down to cross the River Rhiw and enter the pretty village of Berriew, with a number of black and white, brick and timber houses – part of the vernacular architecture of the Marches. Beside the 18th-century Church of St Beuno, there is an excellent tearoom. Two pubs and a couple of shops are nearby, as is the entertaining Andrew Logan Museum of Sculpture.

In front of the church in Berriew, turn left and left again onto the B4390. After 100m, turn right up the hill past the school, on the B4385. At the second, small crossroads turn right and drop down to cross a brook. After a gentle climb through a pretty valley with thick woods on both sides, you begin to descend. The grand estate wall of Powis Castle, one of the great houses of Wales,

◀ Newtown and (this page) Berriew

49

built upon a medieval fortification and with a world famous Italianate garden, is on your left. After 2km of freewheeling, you meet the A458. Turn left and follow the A-road into Welshpool, taking care – it's busy and fast.

In Welshpool, home to one of the largest sheep markets in Europe, you are near the River Severn and only 5km/3 miles from the English border: the town looks and feels distinctly English after your great journey across the heart of Wales. Welshpool has a compact and architecturally ornate centre, where all amenities are available, including a railway station.

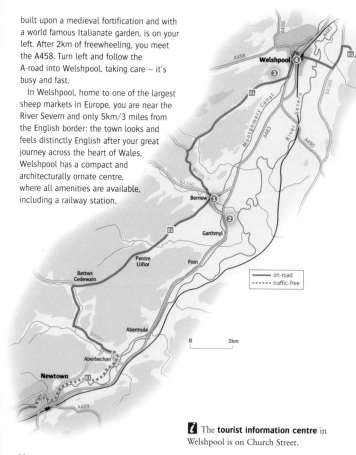

The **tourist information centre** in Welshpool is on Church Street.

What to see

❶ The Andrew Logan Museum of Sculpture brings a colourful swish of high metropolitan fashion to the countryside in the village of Berriew. *andrewlogan.com*

❷ Glansevern Hall and Gardens Near Berriew, you can explore more than 25 acres of mature gardens before stopping off in the shop and café. *glansevern.co.uk*

❸ Powis Castle There is much to enjoy at the most popular National Trust house in Wales. Splendid gardens and collections of painting, sculpture and tapestry, as well as a great collection of Indian treasures in the Clive Museum. *nationaltrust.org.uk*

❹ The Powysland Museum in Welshpool is devoted to the social history of Montgomeryshire. *powys.gov.uk*

Where to stay

In the delightful village of Berriew, both **The Lion Hotel** (*thelionhotelberriew.com*) and the **Talbot Hotel** (*talbot-hotel.com*) are worth stopping for. A little further on and just off-route, **Trefnant Hall Farm** (*trefnanthall.co.uk*) offers accommodation on a working farm with great views. In Welshpool itself, there is the reasonably-priced **Royal Oak Hotel** (*welshpool.org*) and the well-located and especially cycle-friendly B&B at **Hafren House** (*hafrenhouse.com*). For campers, **Severn Caravan Park** is a short way out of town near Cilcewydd: there is also a 3-star bunkhouse (*severnbunkhouse.co.uk*).

Spares and repairs

Friendly **Brooks Cycles** in Welshpool is the place to go.

Powis Castle ▼

51

Welshpool to Shrewsbury

Distance **44km/27.5 miles** Terrain **A brutal climb: after the descent, it's largely flat, following quiet country lanes into the heart of Shrewsbury** Time **3 hours 30 to 4 hours 30** Ascent **509m**

Lôn Cambria goes out with a bang – the ascent of Long Mountain. Once you're beyond the Breidden Hills, the route meanders alongside the River Severn, through idyllic rural Shropshire.

On Severn Street in Welshpool, cross over the canal and head towards the railway station. At the roundabout, go right, over the railway tracks and head southeast out of town on the B4381, crossing over the River Severn. At the T-junction with the B4388, turn left and, after 1km, take the lane on the right. A long, very hard climb begins here, one of the toughest between Aberystwyth and Shrewsbury.

It's almost 2km of climbing, with a height gain of 275m; there are a couple of fiendishly steep sections, notably near the top in Cwmbychan, and the lane is narrow. There are wonderful views over your shoulder, back across the Severn into Wales, but you'll care little for them as you're gasping for breath.

Eventually, you arrive onto the top of Long Mountain, beside a spruce plantation. Here, you cross the border from Wales into England. You're close to a section of Offa's Dyke, the linear earthwork built in the 8th century to demarcate the Anglican kingdom of Mercia from the Welsh kingdom of Powys.

At the T-junction on the top, turn right and, after 50m, turn left. The road drops a little but generally keeps the high ground for 2.5km – this is an old Roman road – and there are some lovely views, which

◂ By the canal in Welshpool

you're now better able to enjoy. Turn left onto another lane and start hurtling downhill. After a 2km descent, turn right at the T-junction and continue down, over the railway line, to meet the A458. Go straight across, taking care. Climb again, much more gently now, past Wollaston and, after another 2km, past a golf club. The lane slips through a gap between Bulthy Hill and Kempster's Hill, part of the Breidden Hills, and winds down to the village of Crewgreen. Turn right onto the B4393 and, after 500m, turn left (before you reach the Fir Tree Inn).

The hills are now behind you: the rest of the route follows the wide, flat Severn River valley all the way to Shrewsbury. It's a

lovely, gentle 24km run to the finish now. Just outside Crewgreen, you cross the Severn. Turn right in the hamlet of Melverley and, 2km beyond that, there is a pretty freehouse pub, the Royal Hill, beside a lovely bend in the river.

At the T-junction in the next hamlet of Pentre, turn right and, 1km after that, right again opposite a military base. At the next crossroads, it's right again and down the lane into the village of Shrawardine where you turn left. After 1.5km, turn right to Montford. These lanes are very quiet and idyllic – a throwback to British cycling in the middle of the 20th century. In Montford, follow signs past the ornate church and, after 1km, cross over the A5.

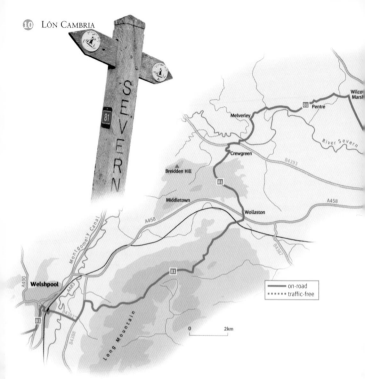

At the B4380, turn right and follow this busier, straight road for 6km, through Bicton into Shrewsbury, the county town of Shropshire and, with 100,000 people, the largest conurbation anywhere on Lôn Cambria by some margin. Eventually, Route 81 signs direct you onto a cycleway and, using a traffic-light crossing, head down Woodfield Avenue, then Woodfield Road, right on Pengwern Road and left onto the busy A488. Almost immediately, cross over this main road, by the Boathouse Inn, and go over the Severn via the foot suspension bridge into Quarry Park. Turn right, following the river, through an avenue of lime trees.

In summer, the 29-acre riverside Quarry Park is vibrant with flowers in bloom: it's the centrepiece of the famous Shrewsbury Flower Show. The medieval heart of Shrewsbury is built on a knuckle of land (almost) encircled by the Severn. Turn left away from the river at almost any point and thread your way up to the central

Shrewsbury ▶

What to see

❶ **Shrewsbury Abbey** is well worth the short ride from the centre of the town, especially for devotees of Brother Cadfael. *shrewsburyabbey.com*

❷ **The Old Market Hall** in the centre of Shrewsbury is an arts venue with films and exhibitions. *oldmarkethall.co.uk*

❸ **Shrewsbury Castle** Founded in around 1070, little remains of the original Norman stronghold and Edward I built most of what houses the Shropshire Regimental Museum today. *shrewsburymuseums.com*

❹ **Sabrina** If you're done with pedalling and fancy a more relaxing form of transportation, take a river tour of the River Severn loop. *sabrinaboat.co.uk*

ℹ The **tourist information centre** in Shrewsbury can be found in Rowley's House Museum.

55

Shrewsbury Railway Station ▲

marketplace, in use since the 13th century. The maze of lanes and alleyways – known as 'shuts', with enigmatic names like Grope Lane, Bear Steps and Wyle Cop – are a delight, and best explored on foot. All amenities are available.

Lôn Cambria follows the river, under Kingsland Bridge and Welsh Bridge. Shrewsbury Abbey is across the river. If you are heading directly to the railway station, stay on Route 81 until you've passed under the railway bridge, then follow signs up a short hill, left on Victoria Street and round to the front of the railway station. Of course, this may not be the end for you: it might just be the end of the beginning. Route 81 continues on from Shrewsbury towards the Midlands, via Wellington and Telford, crossing two more wonderful National Cycle Network routes – Route 45, the Mercian Way, and Route 55, the Silkin Way.

Where to stay

There's no shortage of places to eat and sleep in Shrewsbury. Among the bike-friendly B&Bs are **Anton Guest House** (*antonhouse.com*) and **Ferndell** (*ferndellbandb.co.uk*). Hotels with bike storage include the **Abbots Mead Hotel** (*abbotsmeadhotel.co.uk*) and **The Golden Cross Hotel** (*goldencrosshotel.co.uk*).

Spares and repairs

Seek out **Stan Jones Cycles** or **Dave Mellor Cycles**, both in Shrewsbury, on Hill's Lane and New Street respectively.

Lôn Cambria
& Lôn Teifi

Yr Arweinlyfr Swyddogol i'r Rhwydwaith Beicio Cenedlaethol
LLwybr 81 a Llwybr 82 o Abergwaun i Aberystwyth ac
Aberystwyth i'r Amwythig

cyhoeddwyd gan
pocket mountains ltd
Holm Street, Moffat DG10 9EB
pocketmountains.com

ISBN-13: 978-1-907025-22-8

Argraffwyd yng Ngwlad Pwyl

Rhagarweiniad

Gyda ffyrdd tawel, cacennau cartref a chefn gwlad hudolus, mae Canolbarth Cymru yn baradwys i feicwyr. Gyda'i gilydd, mae Lôn Teifi a Lôn Cambria yn ymestyn ar draws y rhanbarth mewn llinell letraws, o arfordir garw a rhamantus Sir Benfro i'r Gororau yn Swydd Amwythig, gan groesi Ceredigion a Phowys. Tir gwag, mytholegol sydd yng Nghanolbarth Cymru, sef 'land of ochres and umbers' fel y dywed yr artist Kyffin Williams, gyda 40 y cant o arwynebedd Cymru a 10 y cant yn unig o'r boblogaeth. Dyma gartref cymunedau bychain o bobl greadigol anghonfensiynol, ffermwyr a thyddynwyr – pobl sydd wedi blino ar y byd modern neu wedi gwrthod ei gofleidio erioed.

Mae tawelwch, sydd mor werthfawr i gymaint ohonom yn awr, yn rhad yma. Mae'r trefi – Aberteifi, Llanbedr Pont Steffan, Tregaron a Rhaeadr Gwy i enwi ond ambell un – yn fach, heb eu difetha ac yn hyfryd, gan ein hatgoffa sut yr oedd hi mewn rhannau helaeth o Brydain, hanner canrif yn ôl.

Mae'r dirwedd yn cynnal ei hanes yn esmwyth; mae mwy o ddefaid na phobl ac mae adar ysglyfaethus, yn troelli ar adenydd cadarn, yn cadw llygad ar bawb a phopeth.

Gan ddilyn lonydd cefn gwlad, llwybrau di-draffig a llwybrau beicio pwrpasol, mae Lôn Teifi a Lôn

Cambria'n cynnwys nodweddion daearyddol gorau Canolbarth Cymru, gan gynnwys yr ucheldiroedd mawr a elwir Mynyddoedd Cambria. Mae dilyn y dyffrynnoedd coediog â'u hafonydd clir yn bleser arbennig. Mae'n cynnwys Cwm Gwaun, blaenau Dyffryn Gwy ac Afon Hafren, ond pe baech yn reidio Lôn Teifi a Lôn Cambria o'u dechrau i'w diwedd, atgofion o Afon Teifi ac Afon Ystwyth fydd yn aros yn eich meddwl hwyaf.

Nid yw Lôn Teifi, sy'n158km/98 milltir, a Lôn Cambria 182km/113 milltir yn llwybrau pellter hir, ond mae'r beicio yn anodd mewn mannau a byddai ceisio rhuthro'n wallgof. Mae'r arweinlyfr hwn wedi'i rannu'n ddwy adran: mae map Sustrans sy'n cyfateb (ar gael o sustrans.org.uk) yn cwmpasu Lôn Teifi a Lôn Cambria: dewis llawer fydd reidio'r ddau lwybr gyda'i gilydd.

Ffeindio eich ffordd

Fel y llwybrau Sustrans gorau, mae Lôn Teifi a Lôn Cambria yn dilyn cymysgedd o ffyrdd bach tawel ar y cyfan, gydag adrannau o lwybrau beicio a luniwyd yn benodol, â sawl llwybr defnydd cymysg. Mae ambell adran fer ar briffordd brysur: rhaid cymryd gofal. Mae'r adrannau di-draffig yn addas ar gyfer pob math o feic, ar wahân efallai i feiciau rasio, ond argymhellir beic hybrid neu debyg i unrhyw un sy'n dilyn y llwybrau llawn. Mae yna ddwy adran fer oddi ar y ffordd: mae yna arwyddion a gellir eu hosgoi. Mae yna un adran amgen yn dilyn llwybr oddi ar y ffordd dros Fynyddoedd Cambria lle bydd arnoch angen beic mynydd.

Yn gyffredinol, mae arwyddion eglur ar hyd y llwybr, sef arwyddion glas Llwybr Cenedlaethol 82 (Lôn Teifi) a Llwybr Cenedlaethol 81(Lôn Cambria). Mae'r rhain wedi'u lleoli'n ofalus i roi digon o rybudd ymlaen llaw i feicwyr ynglŷn â newid cyfeiriad, a buan iawn y dewch yn hen law ar sylwi arnynt. Mewn mannau, ceir sticeri llwybr llai i ategu'r arwyddion. Byddwch yn ymwybodol y gall arwyddion fynd ar goll: eu dilyn ar y cyd â mapiau diweddaraf Sustrans sydd orau ac wedyn ni ddylech gael problem. Fel y Rhwydwaith Beicio Cenedlaethol cyfan, mae Lôn Teifi a Lôn Cambria yn cael eu gwella'n barhaus: gall arwyddion fod yn wahanol i'r map. Os oes gwahaniaeth, dilynwch yr arwyddion, a byddant yn eich arwain ar yr adran fwyaf newydd o'r llwybr.

Mae rhai adrannau byr yn mynd trwy barciau ac ar hyd hen lwybrau rheilffordd a llwybrau tynnu: byddwch yn ymwybodol o gerddwyr a cherddwyr cŵn sy'n rhannu'r llwybrau hyn, a byddwch yn gwrtais tuag atynt. Hefyd, byddwch yn ymwybodol o'r hyn sydd o'ch cwmpas, yn enwedig os byddwch yn teithio ar eich pen eich hun, ac yn ddelfrydol, amserwch eich taith fel bod eich bod yn reidio yng ngolau dydd yn unig.

Mae ceidwad gwirfoddol Sustrans yn monitro'r llwybr cyfan, gan sicrhau ei fod yn cael ei gynnal a'i gadw a bod yno arwyddbyst. Pe byddech yn dod ar draws unrhyw anhawster, cysylltwch â Sustrans Cymru, yr awdurdod lleol neu'r heddlu os bydd angen.

Y Rhwydwaith Beicio Cenedlaethol a Sustrans yng Nghymru

Sustrans yw'r elusen sy'n galluogi pobl i deithio ar droed, ar feic neu ar drafnidiaeth gyhoeddus ar gyfer mwy o'u siwrneiau bob dydd. Prosiect blaenllaw Sustrans yw'r Rhwydwaith Beicio Cenedlaethol, a ddathlodd ei bymthegfed pen-blwydd yn 2010. Bellach gwneir ragor na miliwn o deithiau cerdded a beicio arno bob dydd.

Mae'r Rhwydwaith yn ymestyn tua 20,000km (13,000 milltir) ledled y DU, gan gynnwys tua 1,200 milltir yng Nghymru – tua 10 y cant o rwydwaith y DU – ac mae tua traean ar lwybrau di-draffig sy'n berffaith i deuluoedd a beicwyr llai profiadol. Bydd prif brosiect Sustrans dros y tair blynedd nesaf, Rhwydwaith Beicio'r Cymoedd, yn ychwanegu 100 milltir arall o lwybrau, di-draffig yn bennaf, at y Rhwydwaith yng Nghymoedd De Cymru.

Gyda'i gilydd, mae Lôn Teifi a Lôn Cambria'n ffurfio un o bedwar prif lwybr sy'n ymestyn ar hyd a lled y wlad: mae Llwybr Cenedlaethol 8 (Lôn Las Cymru, o Gaergybi i Gas-gwent neu Gaerdydd) a Llwybr Cenedlaethol 4/47 (y Lôn Geltaidd, o Abergwaun i Gas-gwent) ill dau yn cysylltu â Lôn Teifi a Lôn Cambria, tra bod Llwybr Beicio Arfordir Gogledd Cymru (Llwybr 5) yn ymestyn o Gaergybi i Gaer. Mae manylion am holl lwybrau Cymru i'w cael ar wefan Sustrans.

Defnyddio'r arweinlyfr hwn

Lluniwyd yr arweinlyfr hwn llawn cymaint ar gyfer y sawl sydd am wibdaith undydd neu benwythnos a theuluoedd sydd am grwydro ar feic, â'r rheiny sy'n bwriadu dilyn Lôn Teifi a Lôn Cambria o'u dechrau i'w diwedd. Mae adran ddyddiol ar gyfartaledd yn bellter

Reidio drwy Gwm Elan ▲

cyfforddus o fyr, er bod adrannau'n amrywio o ran eu hyd gan ddibynnu ar y dirwedd a mannau addas ar gyfer stopio.

Mae'r amseroedd a roddir ar ddechrau pob adran wedi eu seilio'n fras ar gyflymder o 15km yr awr ar gyfartaledd ar y gwastad, gan ychwanegu amser lle bo'r dirwedd yn anwastad neu'n dringo. Canllaw yn unig yw'r rhain: os ydych yn feiciwr cryf, byddwch yn gallu cwblhau sawl adran mewn un diwrnod. Mae'r llyfr yn disgrifio reidio ar hyd Lôn Teifi a Lôn Cambria o'r de-orllewin i'r gogledd-ddwyrain: yr un rheswm da am hyn yw'r gwynt sy'n chwythu amlaf, sef gwynt y de-orllewin. Pe baech yn reidio'r llwybr cyfan, fe fyddwch bron yn bendant yn ei deimlo yn pwyso'n ysgafn ar eich cefn yn rhywle. Fodd bynnag, mae digonedd o bobl sy'n dewis reidio'r llwybrau y ffordd arall.

Dewiswyd mannau aros gan ystyried cyfuniad o bethau, yn cynnwys gorsafoedd trên, atyniadau twristiaid a llety. Mae mwy i

Lôn Teifi a Lôn Cambria na'r beicio ei hun a dyna lle mae aros dros nos yn dod i fri.

Os ydych yn adnabod Cymru'n dda, byddwch yn ei gweld trwy lygaid newydd ar Lôn Teifi a Lôn Cambria; os mai dyma'ch ymweliad cyntaf, fe ddychwelwch. Mae'n werth cymryd amser, dyddiau cyfan hyd yn oed, oddi ar y beic i grwydro'r trefi marchnad a'r cestyll adfeiliedig, mynd am dro ar hyd y traethau a cherdded dros y rhostir hyfryd. Fe welwch fod y llyfr hwn yn dwyn sylw at rai o'r lleoedd mwyaf diddorol i ymweld â hwy, ond cychwyn yn unig sydd yma.

Pryd i fynd a beth ddylech fynd gyda chi

Maen nhw'n gor-ddweud wrth sôn am law yng Nghymru. Er hynny, mae tywydd mwyaf cyffredin Ynysoedd Prydain yn dod o'r gorllewin, gan sicrhau mai Cymru sy'n derbyn llawer o'r hyn y mae Cefnfor yr Iwerydd yn ei daflu atom, gan gynnwys digon o ddŵr. Pe byddech yn reidio Lôn Teifi a Lôn Cambria ar

61

eu hyd, byddwch yn siŵr o wlychu rhywbryd. Mis Mai hyd fis Awst yw'r misoedd mwyaf heulog, er nad hwy bob amser yw'r misoedd sychaf. Gallwch hefyd fod yn lwcus ym mis Ebrill a gall mis Medi a mis Hydref daflu amrywiaeth ddiddorol o dywydd gwyntog a thirweddau gogoneddus. Bydd meysydd gwersylla, hostelau a gwestai ar agor fel arfer yn ystod y misoedd hyn.

Hinsawdd dymherus sydd yng Nghymru: oni bai am y gaeaf, anaml y bydd hi'n rhy boeth nac yn rhy oer. Mae cyfarpar tywydd gwlyb da yn hanfodol ar unrhyw adeg o'r flwyddyn, ond nid oes arnoch angen cludo gormod o haenau dillad. Byddai rhestr wirio o ddillad a argymhellir hefyd yn cynnwys menig, gorchuddion esgidiau, haenau ysgafn o ddillad cynnes a fyddai'n sychu'n gyflym, siorts padin, helmed, sbectol haul ac, os ydych am feicio yn y gwyll, dillad adlewyrchol.

Ar ddiwrnod poeth, mae eli haul yn hollbwysig, yn enwedig yn y gorllewin lle gall y gwynt guddio cryfder yr haul. Wrth gwrs, rhaid i chi fynd â digon o fwyd â dŵr, yn enwedig ar yr adrannau pellennig, hir lle nad yw'n hawdd eu prynu. Mae cloch yn ddefnyddiol iawn mewn ardaloedd adeiledig ac ar lwybrau defnydd cymysg lle ceir nifer fawr o gerddwyr. Hefyd, ewch â goleuadau: hyd yn oed os nad ydych yn bwriadu beicio wedi iddi nosi, da o beth yw gwybod bod gennych olau. Dylech bob amser fod â phwmp, tiwbiau mewnol sbâr, liferi teiar a phecyn offer sylfaenol – mae adrannau cyflawn o Lôn Teifi a Lôn Cambria lle nad oes siopau beiciau, felly rhaid gallu gwneud atgyweiriadau sylfaenol ar ochr y ffordd. O gofio hyn, rhaid gofalu bod eich beic wedi cael gwasanaeth cyn i chi ddechrau.

Yn olaf, er bod y llinfapiau yn yr arweinlyfr hwn yn ddigon ar gyfer rhoi amcan o'r llwybr, mae'n werth mynd â map at y diben Sustrans – Lôn Teifi a Lôn Cambria. Fel pob map Sustrans, mae arno fanylion am arwyneb y llwybr, cyfanswm pellteroedd yn cynyddu fesul milltir, rhannau mwy serth a gorsafoedd trên, yn ogystal â mannau o ddiddordeb a lleoedd lle gall y llwybr fod yn anos ei ddilyn (ar gael o sustransshop.co.uk).

Beicio gyda phlant

Mae beicio'n gyfle delfrydol i'r teulu cyfan fynd allan a mwynhau cefn gwlad, awyr iach ac ymarfer corff. Mae rhai o adrannau gorau Lôn Teifi a Lôn Cambria yn addas ar gyfer teuluoedd: yr hen reilffordd ar lan Afon Ystwyth, y llwybr di-draffig ar draws Gwarchodfa Natur Cors Caron a'r llwybr beicio ar hyd Cwm Elan i Raeadr Gwy yw'r uchafbwyntiau.

Synnwyr cyffredin yw'r unig beth sydd ei angen i sicrhau eich bod yn mwynhau eich gwibdaith yn ddiogel os ydych am ddechrau beicio gyda phlant:

• Peidiwch â goramcangyfrif yr hyn y gall eich plentyn ei wneud. Dewch â digon o ddiodydd a byrbrydau i'w cadw mewn hwyliau da.

• Astudiwch y llwybr ymlaen llaw. Wrth gwrs, y llwybr mwyaf diogel yw'r llwybr di-draffig. Os ydych ar y ffordd, ac un oedolyn yn unig, dylech yn ddelfrydol feicio y tu ôl i'ch plentyn a gwisgo dillad adlewyrchol.

• Dylai plant bob amser wisgo helmed wedi'i ffitio'n ddiogel, p'un ai a ydynt yn cael eu cludo ar eich beic chi neu'n reidio ar eu beic eu hunain.

• Fel helmedau, buan iawn y daw beic i fod yn rhy fach: mae'n beth peryglus i blentyn reidio beic sy'n rhy fawr neu'n rhy fach.

• O tua 6-9 mis oed, pan all babanod ddal eu pen yn dda, gallant deithio gyda chi ar sedd beic wedi'i ffitio'n dda neu drelar. Mae'n bwysig bod yn ymwybodol o sut mae sedd baban yn effeithio ar sut i drin beic, yn enwedig wrth ddod oddi arno, ac ni fydd babanod wedi paratoi at gael eu hysgwyd felly nid yw llwybrau oddi ar y ffordd mor addas. Cofiwch hefyd nad ydynt yn symud a bydd y gwynt yn effeithio arnynt, felly, hyd yn oed mewn tywydd da, sicrhewch fod ganddynt ddigon o ddillad.

Cyrraedd y llwybr

Mae cysylltiadau rheilffordd gweddol at Lôn Teifi a Lôn Cambria – gyda gorsafoedd yn Abergwaun, Aberystwyth, Caersws, y Drenewydd, y Trallwng a'r Amwythig. Bydd y rhan fwyaf o feicwyr yn defnyddio'r trên i ddechrau a gorffen eu taith: un trên y dydd (ac un bob nos) sy'n mynd i Harbwr Abergwaun (y man cychwyn); mae nifer o drenau i Aberystwyth bob dydd ac mae'r Amwythig yn ganolfan rheilffordd brysur.

Trenau Arriva Cymru (arrivatrainswales.co.uk) yw'r prif ddarparwr trenau yng Nghymru. Mae gan bob gwasanaeth ar hyd Lôn Teifi a Lôn Cambria y gallu i gludo beiciau, am ddim, ond yn aml dim mwy na dau. Rhaid archebu lle ar rai llwybrau ond y cyntaf i'r felin yw hi ar wasanaethau eraill. Os yw'n bosib, archebwch ymlaen llaw (0870 9000 773).

Mae First Great Western (firstgreatwestern.co.uk) hefyd yn rhedeg trenau rhwng Casnewydd ac Abertawe (os ydych yn mynd i gyfeiriad Abergwaun) – mae yna chwe lle penodol, ac nid oes tâl am gludo beic.

Lôn Teifi:
Abergwaun i Aberystwyth

Mae Lôn Teifi'n dilyn yr arfordir garw i Aberteifi cyn troi am y mewndir trwy olygfeydd ysblennydd Dyffryn Teifi, i galon Canolbarth Cymru cyn ymuno â Chwmystwyth i gyrraedd glan y môr eto yn Aberystwyth. Mae'n daith llawn cyffro sy'n cynnwys nodweddion hanesyddol a daearyddol sy'n diffinio'r rhan dawel hon o'r DU: cildraethau tywodlyd, traethau bwa, coetiroedd hynafol, siambrau claddu Neolithig, eglwysi canoloesol, nentydd byrlymus a lonydd mor dawel nes i chi ofyn tybed a yw'r byd wedi sefyll yn ei unfan.

O Abergwaun, mae Llwybr 82 yn troi tua'r dwyrain i mewn i Gwm Gwaun coediog, sef dyffryn rhewlifol hynaf Ewrop, ac yna i lawr yn ôl i'r arfordir yn nhref glan môr hyfryd Trefdraeth, heibio bryngaer Oes yr Haearn a ail-luniwyd, Castell Henllys, ac adfeilion enigmatig Abaty Llandudoch i gyrraedd tref Aberteifi.

Gall y traethau ar hyd yr adran hon fod yn drech na chi os yw'r haul yn tywynnu.

O Aberteifi, gallwch ddilyn Afon Teifi o'i haber am 80km, fwy neu lai, at ei tharddiad ar rostir gwyllt di-goed uwch ben Gwarchodfa Natur Cors Caron. Mae beicio ar hyd afon mor dlos a'i gweld ar sawl gwedd wahanol yn bleser prin – mae'n ymdroelli fel rhaff trwy droelliadau araf a chrychdonnau crisial ac yn taranu dros raeadrau ac i lawr ceunentydd dwfn. Mae sawl lle i aros am bicnic. Er eich bod yn dilyn afon, gall y beicio fod yn anodd gan fod Llwybr 82 yn dringo i mewn ac allan o'r dyffryn yn aml. Mae'r trefi ar lannau'r afon – Castellnewydd Emlyn, Llandysul a Llanbedr Pont Steffan – oll yn llawn cymeriad a heb eu difetha.

Pan fyddwch yn dechrau meddwl eich bod yn anelu

Aberystwyth

Tregaron

Aberteifi

Llanbedr Pont Steffan

Trefdraeth

82

Abergwaun

am y bryniau uchel ar y gorwel, mae Lôn Teifi
yn troi i'r gorllewin ac yn dychwelyd at yr
arfordir, gan ddilyn Afon Ystwyth hyfryd.
Byddai'r adran oddi ar y ffordd ar hyd yr afon
o Ystradmeurig i Aberystwyth, yn dilyn hen
reilffordd ac adrannau byr o lonydd, yn
gwneud taith deulu wych. Daw Lôn Teifi i ben
ar y promenâd Fictoraidd yn Aberystwyth,
prifddinas answyddogol Canolbarth Cymru a
thref prifysgol brysur.

65

Abergwaun i Aberteifi

Pellter 39km/24 milltir
Tirwedd Tonnog yn bennaf, gyda ambell ddarn byr o ddringo serth allan o'r dyffrynnoedd serth, coediog; ffyrdd bach ar y cyfan gydag adran fechan iawn o lwybr beicio a dwy ran o ffordd dosbarth A. Nid oes unrhyw adrannau addas ar gyfer teuluoedd **Amser** 3 awr 30 munud i 4 awr 30 munud **Dringo** 591m

Diwrnod braf ar arfordir gorllewinol tir mawr Prydain; cyflwyniad i drysorau cudd Cwm Gwaun a thref hyfryd glan môr Trefdraeth. Gwynt y de-orllewin sy'n chwythu amlaf: os yw'n chwythu'n galed, fe fydd yn eich helpu ar eich taith.

Mae Llwybr 82 yn dechrau ar lannau Môr Iwerddon yn Ocean Lab (canolfan groeso a chaffi), yr adeilad modern yn Harbwr Wdig. O'r orsaf reilffordd wrth derfynfa fferi Abergwaun – Rosslare, dilynwch y ffordd tua'r mewndir, gyda'r clogwyni ar eich llaw dde, heibio swyddfa'r fferi i'r gylchfan: mae Ocean Lab o'ch blaen. Ymunwch â'r llwybr beicio yma sy'n mynd ar hyd yr arfordir, ymaith oddi wrth y derfynfa ac i fyny'r rhiw ger yr A40.

Mae'r llwybr beicio yn gadael y briffordd, yn croesi ffordd fach ac yn dringo unwaith eto trwy lwyn o goed pin at gyffordd lle mae Llwybr 82/47 a Llwybr 4 yn gwahanu, trowch i'r chwith ar gyfer Llwybr 82 (a 47). Daw llwybr beicio â chi i mewn i dref Abergwaun: trowch i'r dde ar y brif stryd. Mae'n werth oedi i edrych o gwmpas Abergwaun, sy'n enwog fel safle goresgyniad olaf Prydain ym 1797: gorfododd y milisia lleol a'u menywod cydnerth fyddin garpiog Ffrainc i ildio. Mae'r hen harbwr 500m islaw'r brif stryd, ger aber Afon Gwaun. O amgylch y porthladd darluniadwy hwn y ffilmiwyd fersiwn ddisglair

o *Under Milk Wood* gyda Richard Burton ac Elizabeth Taylor. Trowch i'r chwith wrth y gylchfan o flaen neuadd y dref ac, ar ôl 50m, trowch i'r dde i Stryd Hamilton. Trowch yn y troad cyntaf ar y chwith, ar y B4313, a dringo'n raddol allan o'r dref. Yn sydyn mae natur y cefn gwlad yn amlygu ei hun: dyma deyrnas Geltaidd wyllt gyda nodweddion nodedig – ffermydd gwyngalchog anniben yn swatio yn y llethrau, gwrychoedd tyweirch â blagur melyn llachar eithin ag arogl cnau coco, waliau cerrig hynafol, coed corachaidd wedi'u plygu gan y gwynt a llwyni ffiwsia. Wedi i chi ddringo i'r copa, cewch olygfeydd braf i'r gogledd-ddwyrain at Ben Dinas a thros Fae Abergwaun ac i'r dwyrain at foelydd hindreuliedig Bryniau Preseli.

Mae'r B4313 yn plymio i lawr dyffryn Afon Gwaun coediog a'i lethrau serth – dyffryn rhewlifol hynaf Ewrop yn ôl pob sôn – a heibio'r dafarn i Lanychâr. Mae dringo allan o'r dyffryn yn anodd: 1km ar ôl Llanychâr, mae Llwybr 82 yn troi i'r chwith, gan ddilyn arwydd 'Cwm Gwaun' (wrth i'r B4313 droi i'r dde; mae Llwybr 47 i Gaerfyrddin yn parhau i fyny'r bryn). Mae'n hawdd methu'r tro os yw eich pen i lawr. Disgynnwch yn serth ar lôn arw, untrac yn ôl at Afon Gwaun a'i chroesi. Mae'r coed colldail hynafol ar ddwy ochr y dyffryn yn arbennig o hardd yn yr hydref.

Yna ewch ymlaen ar hyd y dyffryn at y Dyffryn Arms ym Mhontfaen, sef tafarn enwog a hyfryd o syml y bu Bessie Davies yn ei redeg am y deugain mlynedd diwethaf. Pe baech yn digwydd bod yma ar 13 Ionawr, byddwch yn croesawu'r Flwyddyn Newydd: dyma un o'r mannau olaf yn Ynysoedd Prydain i barhau â thraddodiad yr Hen Galan, a dathlu troad y flwyddyn yn unol â hen galendr Julius (mabwysiadodd Prydain galendr 'newydd' Gregori ym 1752). Ni weinir bwyd yno a bydd y cwrw'n cael ei dywallt o'r gasgen i jwg gwydr.

Mae'r ffordd yn codi oddi wrth yr afon, heibio gerddi tirlunedig Penlan Uchaf, lle gallwch gael te hufen. Ym mhentrefan Cilgwyn, cadwch lygad am y tro i'r chwith. Y tu hwnt i'r Amgueddfa Ganhwyllau a'r gweithdy ym Mhont Cilgwyn, mae'r lôn yn dringo'n serth at grib lethrog sy'n disgyn yn donnog i Drefdraeth a'r arfordir: mae'r golygfeydd godidog yn gorfodi saib wrth i chi deithio ar i lawr. Mae tro i'r dde, hanner ffordd i lawr y rhiw. Yn y gwaelod, trowch i'r dde ar yr A487 i barhau ar Lwybr 82, neu i'r chwith i archwilio Trefdraeth.

Mae sawl lle i fwyta ac yfed, gan gynnwys ambell fwyty da os ydych yn teimlo eich bod yn haeddu gwledd yn y porthladd hanesyddol hwn, a sefydlwyd ar fasnach wlân y Normaniaid wrth aber Afon Nyfer. Mae yno hefyd gastell Normanaidd, siambrau claddu cynhanes a thraeth gwych gerllaw. Mae Trefdraeth yn dref fach hyfryd ac yn boblogaidd gydag ymwelwyr yn yr haf.

◄ Eglwys Sant Brynach yn Nyfer

Byddwch ofalus ar yr A487: nid yw'n brysur ond mae'r ceir yn teithio'n gyflym arni. Ar ôl 2km, ger copa codiad, trowch i'r chwith am Nanhyfer. Yn union cyn y troad hwn, mae tro i'r dde i Bentre Ifan, siambr gladdu Neolithig ddiddorol gyda golygfeydd godidog tua'r môr.

Ym mhentref tlws Nanhyfer mae Llwybr 82 yn troi heibio'r Trewern Arms, dros yr afon a heibio'r eglwys sydd wedi'i chysegru i Sant Brynach, mynach o Iwerddon a fu farw yn 570 OC. Mae coed yw sawl canrif oed yn ffurfio rhodfa sy'n arwain at yr eglwys. Yn y fynwent, ar ben y rhes o goed yw, mae un o groesau Celtaidd gorau Cymru, yn sefyll 4m o daldra ac wedi'i cherfio tua 1000 OC o garreg dolerit leol.

Dau gan metr y tu hwnt i'r eglwys, mae'r llwybr yn fforchio a droad i'r chwith. Os ydych yn reidio beic ffordd, dilynwch y B4582, gan ddringo'n serth ar grib ffermdir arfordirol, gyda golygfeydd gwych yn ôl at Fryniau Preseli ac allan dros Fôr Iwerddon, cyn disgyn i lawr i Crofft. Mae cloddiau tyweirch yn llawn o flodau gwyllt o boptu'r ffordd hon.

Os ydych yn reidio beic mynydd neu feic hybrid cryf, fforchiwch i'r dde ar y troad y tu allan i Nanhyfer i ymuno â llwybr ceffyl am 1.5km, gan ddilyn Dyffryn Nyfer i Felindre Fachog. Trowch i'r chwith ar yr A487 ac, ar ôl 400m, trowch i'r chwith eto i gyrraedd Castell Henllys, safle bryngaer Oes Haearn a ail-luniwyd. Wedi i chi ddringo'n galed trwy goed i gyrraedd tir ffermio uchel, byddwch yn ailymuno a'r A487 am 1.5km ac yna yn

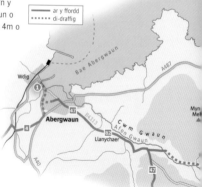

◄ Llanw uchel, Trefdraeth

Beth i'w weld

❶ Ocean Lab Canolfan adloniant ar thema forol ynghyd â chaffi a mynediad i'r rhyngrwyd ar y Parrog yn Wdig. *ocean-lab.co.uk*

❷ Gerddi Penlan Uchaf Mae'r golygfeydd dros Fryniau'r Preseli yn un rheswm da i aros am ychydig yma; mae'r bwyd cartref yn un arall. *penlan-uchaf.co.uk*

❸ Canolfan Ganhwyllau Sir Benfro Cyfle i weld canhwyllau a drochir â llaw yn cael eu gwneud yn y gweithdy a'r oriel hon ger Trefdraeth. *pembrokeshirecandles.co.uk*

❹ Castell Henllys Mae pedwar tŷ crwn wedi eu codi ar sylfeini o'r Oes Haearn yma; mae'n safle archeolegol gweithiol a bydd cloddio yn digwydd bob haf. *castellhenllys.com*

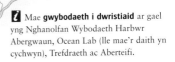

❼ Mae **gwybodaeth i dwristiaid** ar gael yng Nghanolfan Wybodaeth Harbwr Abergwaun, Ocean Lab (lle mae'r daith yn cychwyn), Trefdraeth ac Aberteifi.

cymryd yr ail droad i'r chwith ym mhentrefan
Crofft, lle mae'r llwybrau'n ailymuno.

Ar ôl 2km, ar dro yn y ffordd, trowch i'r dde
(rhaid chwilio'n ddyfal am yr arwydd '82' yn y
gyffordd hon) i lawr y rhiw ar lôn sydd â
glaswellt yn tyfu yn y canol. Mae'r disgyniad
yn hyfryd, trwy ddyffryn coediog i mewn i
Landudoch. Cyn i chi gyrraedd gwaelod y
rhiw, trowch i'r chwith a heibio adfeilion
Abaty Llandudoch, o'r ddeuddegfed ganrif.
Yna trowch i'r dde o flaen tafarn y White
Hart, ar y briffordd: daw'r ffordd hon â chi i
mewn i Aberteifi lle byddwch yn troi i'r
chwith dros Afon Teifi i gyrraedd canol y dref
sydd heb ei ddifetha. Mae yna dafarnau a
bwytai ar gyfer pob poced: mae sewin neu
frithyll môr yn seigiau lleol y mae Afon Teifi
yn enwog amdanynt. Mae sawl traeth
braf gerllaw.

Lle i aros

I lawr wrth Harbwr Wdig, cyn eich bod yn
dringo'r rhiw i ganol tref Abergwaun,
gallwch orffwys yng **Nghanolfan Deifio
Celtic**, sy'n hapus i letya beicwyr yn
ogystal â deifwyr yn ei lety modern
(*celticdiving.co.uk*). Yn Abergwaun, mae
Hamilton Lodge (*hamiltonbackpackers.co.uk*)
yn lleoliad hamddenol a rhesymol ei bris yn
agos i ganol y dref. **Argo Villa** (*argovilla.co.uk*) yn llety gwely a
brecwast sy'n gyfeillgar i feicwyr. Os mai
gwersylla sy'n mynd â'ch bryd ewch am
faes gwersylla di-garafanau **Allt y Coed**
(*alltycoed.com*) yn Aberteifi. Dewis mwy
moethus gyda golygfeydd ysblennydd dros
Fae Ceredigion yw **Gwesty Gwbert**
(*gwberthotel.com*), 4km o Aberteifi, oddi ar
Lwybr 82.

Atgyweiriadau a mân ddarnau

Fe ddylai fod gan **Pembrokeshire Bikes** yn
Abergwaun bopeth y byddwch ei angen cyn
cychwyn ar y daith ac yn Aberteifi bydd
New Image Bicycles yn fwy na pharod i
wneud unrhyw atgyweiriadau yn eu
gweithdy, pe bai angen.

Aberteifi i Landysul

Pellter **37km/23 milltir** Tirwedd **Cymysgedd o adrannau byr, gwastad â sawl dringfa i rhiw serth, ar lonydd bychain yn bennaf, gydag un darn ar ffordd dosbarth A. Oherwydd yr holl fryniau mae'n anodd setlo i rythm** Amser **3-4 awr** Dringo **607m**

Mae Afon Teifi'n cadw cwmni i chi gydol y dydd: mae digon o ddringo a disgyn, a pheth ohono'n llafurus, wrth i'r llwybr garlamu trwy goedydd a thros ddolydd y dyffryn hardd hwn.

Yn union wedi'r bont dros Afon Teifi, trowch i'r chwith ac ewch ar y llwybr troed ar hyd 'Rhodfa'r afon', i fyny'r afon. Dyma ddarn hyfryd oddi ar y ffordd, trwy Warchodfa Natur Corsydd Teifi, lle bydd llawer o adar hirgoes, megis chwiwellau, corhwyaid a hwyaid pengoch yn treulio'r gaeaf. Ceir cuddfannau gwylio ar hyd y llwybr yn edrych dros yr afon a'r corslwyni eang.

Ewch allan o'r warchodfa lle mae'r llwybr yn ailymuno â'r ffordd; trowch i'r dde ar hyd y lôn heibio canolfan gweithgareddau awyr agored a maes gwersyllfa Fforest, i gyfeiriad Cilgerran. Trowch i'r chwith yn union cyn y brifffordd, a dilynwch y lonydd trwy gefn y pentref. Trowch i'r chwith o flaen tafarn y Cardiff Arms, sydd â chwrwgl wedi ei glymu wrth y wal flaen. Wedi 1km, hanner ffordd i lawr bryn, trowch i'r chwith tua Llechryd ac yna i'r chwith eto ar groesffordd wledig dawel.

Yn union cyn yr afon, trowch i'r dde: mae'r darn tawel hwn yn cadw at lan Afon Teifi, gan esgyn yn raddol a disgyn trwy goedwig drwchus, i Aber-cuch. Trowch i'r chwith, i'r B4332 ac i lawr yn serth a chroesi Afon Cuch, un o lednentydd y Teifi. Dringwch am 1.5km cyn disgyn yn gyflym i Genarth, lle ceir tafarndai, ystafell de a siop, yn ogystal â'r Amgueddfa Cwryglau, sydd wedi ei neilltuo i'r cwch hanesyddol, brodorol a wnaed o helyg, calico a phyg. Mae dyrnaid o bysgotwyr sewin yn dal i bysgota â chwryglau gan ddefnyddio rhwydi.

Canolfan Bywyd Gwyllt Cymru ▶

Yma ceir rhaeadr hyfryd (lle, os byddwch yn lwcus, y gwelwch eog a brithyll du'n neidio – gyda'r cyfnos yw'r amser gorau) a phwll ar yr afon yma – lle perffaith am bicnic ar ddiwrnod braf.

Yng Nghenarth, trowch i'r chwith, i'r A484, croeswch Afon Teifi a bron ar unwaith trowch i'r dde, i fyny rhiw serth sy'n ddigon i weithio'r galon. Mae'r lôn brydferth hon yn mynd â chi at gyffordd T, lle byddwch yn troi i'r dde, i'r B4333 a mynd trwy Gwm-cou dros ddolydd at gyffordd T; trowch i'r dde i gyfeiriad Castellnewydd Emlyn. Trowch i'r chwith ar yr A475 yn union cyn yr afon, wrth yr arwydd am Lanbedr Pont Steffan. Yn nodweddiadol o drefi Gorllewin Cymru, mae swyn hamddenol i Gastellnewydd Emlyn, ac

ymdeimlad cryf o hunaniaeth a chymuned leol. Mae yno adfeilion castell, sawl caffi a thafarn ar y stryd fawr, a hefyd siop feiciau.

Dilynwch yr A475 yn ofalus (gall hon fod yn ffordd gyflym) am 3.5km, ac ar ôl dringfa hir, yn union wedi mynd dros ben bryn, chwiliwch am dro i'r dde (ar groesffordd fechan). Mae'r lôn yn disgyn yn serth yn ôl trwy'r coed i Henllan; trowch i'r chwith yn union wedi gorsaf Reilffordd Dyffryn Teifi. Wedi 500m, ym mhentref bach Trebedw mae tro i'r dde sy'n hawdd ei fethu wrth i chi fynd ar i waered.

Rydych yn ôl wrth yr afon: unwaith eto, mae rhagor o fannau picnic da. Wedi 1km, mae dringfa serth arall yn mynd â chi o amgylch un o lednentydd y Teifi. Ar

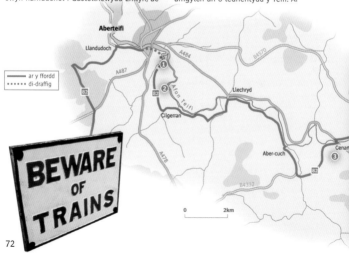

What to see

❶ Canolfan Bywyd Gwyllt Cymru

Canolfan a ddyluniwyd gan bensaer, 200m oddi ar Lwybr 82, gyda gwybodaeth ac ardangosiadau am natur Corsydd Teifi. Mae caffi da yma. *welshwildlife.org*

❷ Fforest Rhannol yn westy, rhannol yn barc tipi, rhannol yn ganolfan weithgareddau, mae hwn yn fan diddorol i aros os ydych awydd seibiant o'r reidio a gwneud gweithgaredd arall am ddiwrnod neu ddau. *coldatnight.co.uk*

❸ Amgueddfa Cwryglau Cymru Cartref i gasgliad o gwryglau o bob rhan o'r byd, a gweithdy lle cânt eu creu. *coraclemuseum.co.uk*

❹ Rheilffordd Dyffryn Teifi Yn nhraddodiad cyfoethog rheilffyrdd stêm lein gul Cymru, bydd trenau Rheilffordd Dyffryn Teifi yn rhedeg bron bob dydd rhwng y Pasg a Chalan Gaeaf. *teifivalleyrailway.com*

▲ Rheilffordd Dyffryn Teifi

groesffordd wledig fechan, trowch i'r dde, i lawr yn ôl at bont addurnedig ger hen felin, lle ceir golygfeydd ardderchog i lawr yr afon at Geunant trawiadol Alltcafan.

Mae holl agweddau'r Teifi i'w gweld ar y rhan hon o'r afon rhwng Aberteifi a Llandysul: yn ogystal â'r milltiroedd hamddenol troellog trwy ddolydd a'r gyfres o byllau a chrychiadau crisial, mae ceunentydd cul yn Llandysul, Pentre-cwrt, Castellnewydd Emlyn a Chenarth, lle mae'r dŵr yn rhuo i lawr o ganolbarth Cymru tua'r arfordir gorllewinol.

Ar y B4335, trowch i'r chwith, ac i'r chwith eto, ac yna i'r dde ar unwaith, i lôn fach arall ym Mhentre-cwrt, i groesi'r A486 ac yna yn eich blaen. Byddwch yn dringo eto wedi mynd heibio Fferm Cwrt. Trowch i'r chwith wrth y gyffordd T, i lawr y rhiw, dros y B4624 ac i Bont-Tyweli. Wrth y ganolfan canŵio, croeswch y bont (gan adael Sir Gaerfyrddin a mynd i mewn i Sir Geredigion) uwchlaw'r cwrs slalom dŵr gwyllt, a dilynwch y lôn unffordd i mewn i ganol tref Llandysul.

Yn ddaearyddol ac yn economaidd, mae Afon Teifi yn rhan ganolog o fywyd Llandysul: ers talwm, y dref oedd canolfan diwydiant gwlân Cymru, ac mae'n adnabyddus heddiw am ei chanŵio a'i physgota. Yr eglwys o'r drydedd ganrif ar ddeg yw adeilad hynaf Aberteifi: ychydig o'r dref sydd wedi ei moderneiddio. Mae yno siopau diddorol yn ogystal â mannau i fwyta, yfed ac aros.

Lle i aros

Rhwng Castellnewydd Emlyn a Llandysul, ger Felindre, fe ddowch o hyd i wely a brecwast (a hefyd llety i grwpiau) yng **Nghanolfan Ceridwen** (*ceridwencentre.co.uk*). Tua 2km i'r gogledd (oddi ar y llwybr) o Landysul, tuag at Horeb, mae llety gwely a brecwast **Happy Donkey Hill** yn croesawu beiciau a gall ddarparu prydau gyda'r hwyr (*happydonkeyhill.co.uk*). 2km ymhellach ymlaen, ger Croeslan, ceir **Fferm Organig Nantgwynfaen** (*organicfarmwales.co.uk*).

Atgyweiriadau a mân ddarnau

Bydd **GM Cycles** yng Nghastellnewydd Emlyn yn cadw eich olwynion i droi.

ℹ️ Mae **gwybodaeth i dwristiaid** i'w chael yn Theatr Mwldan, Aberteifi.

Llandysul i Lanbedr Pont Steffan

Pellter 26km/16 milltir **Tirwedd** Ambell i ddringfa fer a serth i gychwyn, cyn i'r tirlun newid ac i rediad y dringfeydd ddod yn fwy graddol; yn bennaf ar lonydd cefn gwlad tawel gydag un rhan ar ffordd dosbarth B. **Amser** 2 awr 30 munud i 3 awr 30munud **Dringo** 422m

Diwrnod ysgafnach, wrth i Afon Teifi ledu ac i'r tirlun newid: mae Llandysul a Llanbedr Pont Steffan yn llawn swyn.

Mae Llwybr 82 yn mynd i gyfeiriad y gogledd ar hyd Stryd Fawr Llandysul, gan fynd i'r dde ar hyd y system unffordd. Wrth ddod i lawr y rhiw fer, trowch ar eich union i'r chwith, i'r B4476, heibio i res o fythynnod, nes cyrraedd Afon Teifi. Wedi 1km, croeswch nant a throwch i'r dde i lôn fechan, a chadwch wrth yr afon.

Mae'r Teifi ar ei thawelaf yma, yn ymdroelli fel rhaff ar hyd gwaelod llydan, gwastad y dyffryn. Mae yna ddringfa heriol cyn cyrraedd fferm Faerdre-Fawr – byddwch yn defnyddio holl geriau eich beic wrth ddringo yng

Ngorllewin Cymru – ac yn hwylio'n ôl i lawr trwy goed cyll a bedw i groesi Afon Cletwr, un o lednentydd y Teifi. Mae'r lôn yn dringo eto, i ymuno â'r B4459: cadwch i'r dde lle mae gofyn ildio'r ffordd. Wedi 1km, trowch i'r chwith i fyny'r rhiw yng Nglan-rhyd. Wedi dringo am 500m, cadwch i'r dde o amgylch y bryn.

Am y tro cyntaf ers cefnu ar aber y Teifi, daw newid amlwg i'r tirlun. Mae'r dyffryn yn dechrau lledu, a cheir cipolwg ar ucheldiroedd moel Canolbarth Cymru yn y pellter, a dyna lle rydych yn anelu ato. Cadwch i'r dde, trwy Ruddlan, ac wedi dringfa fer fe ddowch i ben bryn: eisteddwch yn gyffordus a mwynhau'r daith hir, ysgafn i lawr – y disgyniad cyntaf o'i fath ers gadael Aberteifi. Ar y gyffordd T â'r B4338, trowch i'r dde ac fe gyrhaeddwch gyrion Llanybydder, tref farchnad fechan ochr draw i'r afon.

Os digwydd i chi fod yma ar ddydd Iau olaf y mis, mynnwch ymweld â Ffair Geffylau Llanybydder, ffair fisol fwyaf Cymru, a sefydlwyd ym 1898. Ceir twr cerrig urddasol

yn Eglwys Pedr Sant, a thafarn leol brysur, Gwesty'r Llew Du.

Mae Llwybr 82 yn parhau, o'r gyffordd ar ochr ogleddol yr afon, i fyny'r rhiw ac ar hyd y B4337 am bron i 4km, tua Llanwnnen. Ar yr A475, trowch i'r dde ac yna ar eich union i'r chwith ar gylchfan fechan wrth siop. Mae'r dirwedd yn mynd yn ysgafnach, a byddwch chithau'n dechrau cyflymu ar y darn hwn. Yng Nghapel-y-Groes, dilynwch y ffordd i'r dde, a chroesi Afon Granell, un arall o lednentydd y Teifi, gan ddringo. Wedi 150m, lle mae'r briffordd yn gwyro i'r chwith, ewch chithau ymlaen ar eich union i lôn fechan.

Wedi dringo am 1.5km, cadwch i'r dde,

heibio i ddyrnaid o ffermydd anghysbell. Mae'r ffordd yn awr yn mynd i lawr rhiw: ceir golygfeydd da dros rannau uchaf Dyffryn Teifi. Trowch i'r dde ar gyffordd T mewn coedlan ffawydd, a gwibiwch yn gyflym i lawr i Lanbedr Pont Steffan. Trowch i'r chwith i'r A475, sy'n arwain i'r dref. (Wedi 200m, trowch i'r dde a dilyn yr arwyddion os ydych eisiau aros ar Lwybr 82 gan osgoi canol y dref.)

Mae Llanbedr Pont Steffan yn dref farchnad fechan hyfryd, yn dyddio o'r Canol Oesoedd. Er mor annhebygol

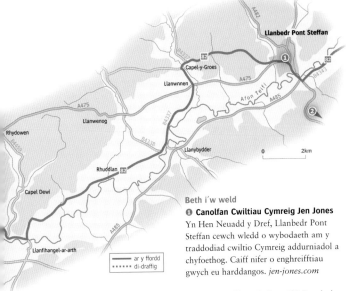

y syniad, mae gan y dref ei phrifysgol ei hun, Coleg Dewi Sant. Wedi ei sefydlu ym 1822, dyma brifysgol hynaf Cymru, ac mae yno 800 o fyfyrwyr heddiw. Cynhelir marchnad ffermwyr yn y dref ddwywaith y mis; a chan ei bod yn ganolfan ranbarthol i fwyd organig mae'n hawdd iawn cael bwyd da yma. Mae amryw o fannau bwyta ac yfed, ond os na wnewch chi ddim arall, fe ddylech chi fynd i Gaffi Conti, sy'n mynd â chi'n ôl yn rhyfeddol i'r hen ddyddiau, gyda hufen ia gwych a phob math o fyrbrydau blasus a choffi ardderchog ar werth yno. Yn union fel llawer o gaffis eraill yn Ne a Chanolbarth Cymru, sefydlwyd Caffi Conti gan fewnfudwr o'r Eidal yn gynnar yn yr Ugeinfed Ganrif.

Beth i'w weld

❶ Canolfan Cwiltiau Cymreig Jen Jones
Yn Hen Neuadd y Dref, Llanbedr Pont Steffan cewch wledd o wybodaeth am y traddodiad cwiltio Cymreig addurniadol a chyfoethog. Caiff nifer o enghreifftiau gwych eu harddangos. *jen-jones.com*

❷ Mwynfeydd Aur Dolaucothi Os ydych yn bwriadu cael egwyl yn ardal Llanbedr Pont Steffan, rhowch gynnig ar badellu am aur yn Nolaucothi (15km i ffwrdd). *nationaltrust.org.uk*

Lle i aros

Mae **Haulfan** (*haulfanguesthouse.co.uk*) yn llety gwely a brecwast cyfeillgar i feicwyr sydd mewn lleoliad da yn Nheras yr Orsaf, Llanbedr Pont Steffan. Mae **Peterwell House** (*peterwellhouse.co.uk*), sydd hefyd yn gyfeillgar i feicwyr, ar gyrion y dref ar Ffordd Maestir ac oddi yma ceir golygfeydd da. Ychydig ymhellach allan, mae'r **Falcondale** yn westy crand gyda hanes a golygfeydd (*thefalcondale.co.uk*).

◀ Neuadd y Dref Llanbedr Pont Steffan

Llanbedr Pont Steffan i Bontrhydfendigaid

Pellter **28km/17.5 milltir** Tirwedd **Tir gwastad neu donnog yn bennaf, y cyfan ar ffyrdd dosbarth B, gydag un rhan hyfryd 3.5km ar reilffordd segur ar draws Gwarchodfa Natur Cors Caron** Amser **2-3 awr** Dringo **219m**

Rhan hawdd yn rhan uchaf Dyffryn Teifi, trwy Dregaron, hen dref hyfryd y porthmyn. Chwiliwch yr awyr, pan gewch gyfle, am farcutiaid coch, a chofiwch neilltuo digon o amser ar ddiwedd y dydd i ymweld ag adfeilion abaty Sistersaidd Ystrad Fflur, ger Pontrhydfendigaid.

Gadewch Llanbedr Pont Steffan ar y briffordd dosbarth A ac i lawr i groesi'r Afon Teifi ar hen bont garreg. Wedi dringfa fer, trowch i'r chwith ar y B4343. Mae hwn yn ddarn cyflym i fyny'r dyffryn trwy bentrefannau Cellan a Llanfair Clydogau. Unwaith yn rhagor, mae'r afon – sy'n llifo'n hamddenol erbyn hyn – yn gydymaith agos i chi.

Dyma wlad y barcud coch: edrychwch i'r awyr pan gewch gyfle i chwilio am un o'r adar ysglyfaethus mawr hyn – mae lled eu hadenydd bron yn ddwy fetr – gyda'u cynffonnau trionglog nodweddiadol. Yn cylchdroi'n urddasol ar adenydd cadarn, ond yn ysglyfaethus heb unrhyw amheuaeth, mae'r barcud coch yn olygfa ysblennydd a chyffredin yng Nghanolbarth Cymru. Mae'n wyrth fechan bod yr aderyn, a gafodd ei erlid yn drwm ar un adeg gan ffermwyr a chiperiaid, wedi goroesi. Ym 1905, dim ond pum aderyn a gwyddid amdanynt, mewn cadarnle anghysbell yma yn y bryniau uwchben rhan uchaf Dyffryn Teifi.

Mae'r ymgyrch a welodd eu hadfywiad, dan arweiniad sefydliadau megis Ymddiriedolaeth Barcutiaid Cymru, Ymddiriedolaeth Bywyd Gwyllt Gorllewin Cymru a'r RSPB, yn lasbrint ar gyfer cadwraeth lwyddiannus. Erbyn hyn mae gan Gymru dros 600 o barau bridio ac, yn ystod y gaeaf, gallwch eu gwylio yn cael eu bwydo bob dydd yng Nghanolfan y Barcud Coch, ar gyrion Tregaron.

Ym mhentref Llanddewibrefi, trowch i'r chwith, a dilyn arwydd 'Tregaron', o flaen yr eglwys. Ystyr enw'r pentref yw 'Eglwys Dewi ar yr Afon Brefi' (Ystyr Llan yw eglwys neu fan sanctaidd ac mae'r Afon Brefi yn llednant i'r Afon Teifi). Yn yr eglwys Normanaidd, sydd wedi'i chysegru i Dewi Sant, nawddsant Cymru, mae casgliad o groesau Celtaidd. Mae'n bosib y bydd enw'r pentref yn swnio'n gyfarwydd i wylwyr y gyfres deledu Little Britain: cymeriad Matt Lucas, Daffyd Thomas, yw'r 'only gay in the village' a'r pentref yw Llanddewibrefi.

Mae Llwybr 82 yn aros gyda'r B4343 ac yn dychwelyd at lannau'r afon i gyrraedd y prif sgwâr yn Nhregaron. O ganol y 1600au hyd ddechrau'r 1900au roedd Tregaron yn dref farchnad ffyniannus ac yn fan cyfarfod pwysig ar gyfer porthmyn – y dynion hynny oedd yn teithio i yrru gwartheg, defaid, moch a gwyddau o Gymru benbaladr i fwydo'r trefi diwydiannol oedd ar gynnydd yn Lloegr. Roedd porthmona bryd hynny yn un o bileri canolog economi Cymru. Disgrifiodd yr Esgob

John Williams o Fangor borthmyn yr ail ganrif ar bymtheg fel, '*the Spanish fleet of Wales which brings in what little gold and silver we have*'.

Mae Gwesty'r Talbot ar y sgwâr hardd yn Nhregaron yn llety hanesyddol ac ar un adeg roedd yn fan cyfarfod ar gyfer porthmyn o bob rhan o Geredigion, cyn iddynt gychwyn ar eu taith ar y ffordd uchel dros Fynyddoedd y Cambria trwy Fwlch Cwmberwyn ac Abergwesyn. Ym 1810, arweiniodd yr economi leol gref a oedd yn seiliedig ar wlân, porthmona a busnesau eraill megis gofaint a thafarnau, at agor banc cyntaf Cymru yn y dref, Banc y Ddafad Ddu Aberystwyth a Thregaron. Mae cofeb Henry Richard, un o feibion Tregaron, ysgrifennydd Y Gymdeithas Heddwch ac un o'r cynharaf i ddadlau o blaid Cynghrair y Cenhedloedd yn dilyn y Rhyfel Byd Cyntaf, yn edrych dros y sgwâr.

Ar draws y sgwâr o Westy'r Talbot mae Canolfan Aur Cymru Rhiannon, lle gallwch brynu gemwaith sy'n defnyddio motiffau Celtaidd traddodiadol gan ddefnyddio aur Cymru; ceir siop grefftau Cymreig y drws nesaf. Mae Ffair Garon, neu Ffair Tregaron, a gynhelir ar Ŵyl Banc y Sulgwyn, yn ddigwyddiad traddodiadol sy'n dyddio nôl i 1292.

Mae Llwybr 82 yn troi i'r chwith yn y prif sgwâr, yn croesi'r nant ac yn syth i'r dde, gan barhau i ddilyn y B4343. Ar ôl 3km, edrychwch am faes parcio ar y chwith:

dyma'r fynedfa i Warchodfa Natur Genedlaethol Cors Caron a man dechrau llwybr beicio hyfryd 3.5km, sy'n dilyn rheilffordd segur. Mae Cors Caron yn enghraifft bwysig o gors mynydd-dir, mae'n warchodfa genedlaethol ers 1955 ac yn gartref i nifer o rywogaethau prin o blanhigion megis chwys yr haul, rhosmari gwyllt a phlu'r gweunydd, sydd wedi addasu i'r amodau asidig. Mae dros 150 math o adar, rhai lleol a rhai mudol, yn defnyddio'r 816 erw o gors fel hafan: gellir gwylio llawer ohonynt, megis y gorhwyaden, y gylfinir, y pibydd coesgoch, y giach ac, wrth gwrs, y barcud coch, o'r cuddfannau.

Ym mhen gogleddol y warchodfa, yn union cyn pentrefan Ystradmeurig, mae Llwybr 82 yn troi i'r chwith tuag at Aberystwyth a'r arfordir. Mae'n werth troi i'r dde ar y B4340 a dargyfeirio 2km i Bontrhydfendigaid, pentref sy'n swatio ar lethrau gorllewinol Mynyddoedd Cambria ac a adwaenir yn lleol fel 'Y Bont'. Ychydig dros 1km i fyny'r afon o'r pentref ar Afon Teifi mae Ystra-fflur, adfeilion mynachlog Sistersaidd a sefydlwyd yn y ddeuddegfed ganrif. Mae gan y safle hwn le amlwg yn nychymyg y Cymry, yn

rhannol oherwydd bod nifer o dywysogion y Deheubarth ac o bosib bardd mwyaf Cymru, Dafydd ap Gwilym, wedi eu claddu yma yn yr oesoedd canol. Mae hefyd wedi mewn lleoliad prydferth ac anghysbell, wedi'i amgylchynu gan fryniau ar dair ochr: mae'n dirwedd nodweddiadol Gymreig ac fel y nododd y mynachod Sistersaidd cynnar, *'far from the concourse of men'*.

Lle i aros

Ychydig y tu allan i Landdewibrefi, fe ddowch o hyd i lety gwely a brecwast ardderchog gyda golygfeydd da a phrydau hwyr ym **Mrynheulog** (*brynheulog.com*). Ymhellach ymlaen, yn Nhregaron, ni allwch fethu **Gwesty'r Talbot**, hen dafarn y porthmyn sy'n croesawu beicwyr (*talbothotel-tregaron.com*). Ym Mhontrhydfendigaid, bydd gennych ddewis o ddau westy cyfeillgar i feicwyr, y **Llew Du** (*blacklionhotel.co.uk*) a'r Llew Coch (*redlionbont.co.uk*). Mae'r **Llew Coch** hefyd yn cynnig cyfleusterau gwersylla.

ℹ️ Mae **gwybodaeth i dwristiaid** ar gael yn Ystrad Fflur, ger Pontrhydfendigaid.

◀ Adfeilion Ystrad-fflur

Beth i'w weld

❶ Canolfan y Barcud Tregaron Cewch wybodaeth am y barcud coch a hefyd adar eraill sydd i'w gweld yn yr ardal, a hanes cyfoethog y gymuned wledig hon. Cacennau cartref blasus hefyd. *brynheulog.com*

❷ Gwarchodfa Natur Genedlaethol Cors Caron Dros 2000 erw o gors mawnog ar fynydd-dir, gwely cyrs, llynnoedd a choetir gyda llwybrau estyllod, cuddfannau a digonedd o ddiddordeb bywyd gwyllt. *ccw.gov.uk*

❸ Ystrad Fflur Mae'r cyn abaty Sistersaidd hon ychydig y tu allan i Bontrhydfendigaid yn hyfryd o enigmatig ac yn nodweddiadol o adfail Cymreig. *castlewales.com/strata*

Pontrhydfendigaid i Aberystwyth

Pellter **26km/16 milltir** Tirwedd **Gwastad ar
y cyfan, ar ffyrdd bach a lonydd, gydag
adran hir yn dilyn yr hen reilffordd a'r afon i
mewn i Aberystwyth** Amser **2-3 awr**
Dringo **270m**

**Mae adran olaf Lôn Teifi yn troi o
rostiroedd Canolbarth Cymru ac yn
anelu'n ôl at yr arfordir ar hyd Afon
Ystwyth brydferth i gyrraedd tref glan
môr brysur Aberystwyth, prifddinas
answyddogol Canolbarth Cymru.**

Mae'r llwybrau'n fforchio ym
Mhontrhydfendigaid: mae'r rhan fwyaf o
ddisgrifiad y llwybr hwn yn cymryd yn
ganiataol eich bod yn mynd i Aberystwyth ar
hyd Lôn Teifi/Llwybr 82.

Yn gyntaf, fodd bynnag, dyma'r dewis arall:
os ydych am fynd yn syth ymlaen i'r
Amwythig ar hyd Lôn Cambria, ac osgoi
Aberystwyth, trowch i'r dde ym mhen

gogleddol pentref Pontrhydfendigaid a dringo
am dros 1km i Ffair Rhos. Oddi yma, mae dau
lwybr i Raeadr Gwy: y llwybr byr, o amgylch
Llynnoedd Teifi – tarddle'r afon yr ydych
wedi'i ddilyn o'i haber – ac i lawr heibio
Cronfa Claerwen, sy'n addas ar gyfer beiciau
oddi ar y ffordd yn unig. Mae dringo
Mynyddoedd Cambria yn anodd dros ben, ac
ychydig, os o gwbl, o drafnidiaeth a welir ar y
llwybr hwn: ewch â'r cyfan fyddwch chi ei
angen i fwyta ac yfed, a dillad priodol. Pe
baech yn torri i lawr, bydd yn rhaid i chi
wneud eich holl drwsio eich hunan. Fel arall,
yn Ffair Rhos, arhoswch ar y B4343 am 5km i
gyrraedd Pont-rhyd-y-groes, lle byddwch yn
cyfarfod ag Afon Ystwyth ac yn ymuno â Lôn
Cambria/Llwybr 81 (gweler tudalen 35)

Os ydych yn dilyn Lôn Teifi/Llwybr 82 i
mewn i Aberystwyth, ewch i'r chwith ym
mhen gogleddol Pontrhydfendigaid ar y
B4340, gan ddilyn eich llwybr y diwrnod

◀ Ar i lawr i Gwm Ystwyth

blaenorol i Ystradmeurig. Trowch i'r chwith, yn ôl ar y llwybr beicio sy'n croesi Cors Caron, ac yna i'r dde, bron yn union, gan barhau ar hyd yr hen linell rheilffordd am 3.5km i gyfarfod â'r ffordd unwaith eto yn Nhnynygraig. Ar y B4340, byddwch yn disgyn: yn araf i gychwyn ac yna'n gyflym i lawr i Gwmystwyth. Mae Llwybr 82 yn mynd i'r chwith cyn cyrraedd gwaelod y rhiw: rhaid i chi fynd yn araf a chadw llygad am y troad. Yma byddwch yn gweld arwyddion Llwybr 81 unwaith eto. (Os ydych ar feic ffordd, ewch yn syth yn eich blaen, croesi'r afon ar waelod y rhiw a dilyn y B4340 am 3km i Drawsgoed, gan droi i'r chwith dros yr afon i ymuno â Llwybr 82).

Os gall eich beic ymdopi ag adran o ffordd ddidramwy, yna ewch i'r chwith heibio ychydig o dai, croesi nant, i mewn i'r goedwig ac yna i'r chwith i fyny rhiw ar lwybr ceffyl i ymuno â'r hen reilffordd segur unwaith eto. Trowch i'r dde yma. Ar ôl 1.5km, fe ddewch at lôn; trowch i'r dde i lawr y rhiw ac yna cymryd yr ail fforch i'r dde ger Dolfor; ar ôl ychydig dros 1km, fe ddewch i Drawsgoed, stad Gymreig hynafol a fu'n eiddo i'r teulu Vaughan ers 1200. Trowch i'r chwith i fyny'r rhiw, ewch o dan hen bont reilffordd a throi i'r dde i fynd yn ôl i'r hen drac segur. Ar ôl bron 1km, trowch i'r chwith ac yna'n union i'r dde, i groesi'r B4575. Dyma ddechrau adran hyfryd o lwybr beicio oddi ar y ffordd gydag eithin a'r rhosyn gwyllt o boptu, yn dilyn yr hen reilffordd, gydag Afon Ystwyth yn union ar eich llaw dde.

Adeiladwyd y rheilffordd, a oedd yn

wreiddiol yn rhan o linell Manceinion i
Aberdaugleddau, fel rhan o gynllun
uchelgeisiol i gysylltu Hwlffordd â
Manceinion, trwy diroedd gwyllt Canolbarth
Cymru, er mwyn cludo cotwm a fewnforiwyd.
Daeth y cynllun i ben ar ddiwedd y 1860au,
wrth geisio tyllu twnnel trwy Fynyddoedd
Cambria i'r dwyrain o Gwmystwyth, a
phenderfynwyd ar lwybr amgen. Daeth cludo
nwyddau ar y llinell i ben ym 1964, ac felly
hefyd cludo teithwyr flwyddyn yn
ddiweddarach. Colled y teithwyr trên yw
ennill y beicwyr: mae'r trac yn cynnig
golygfeydd hyfryd dros ddŵr bas crychdonnog
a phyllau'r afon draw i'r llethrau rhedynog a
tu hwnt. Yn Llanilar (mae tafarn yn y pentref),
gallwch os edrychwch yn ofalus weld yr hen
blatfform yn y llystyfiant.

Mae nifer o fannau i gael saib a phicnic a
rhoi'ch bodiau yn y dŵr. Heibio Llanilar mae'r
afon yn syth am gryn bellter. Daw'r llwybr
beicio i ben ar droad i'r dde: trowch i'r dde a
chroesi'r bont goncrid – gan ddilyn
arwyddion 'Llwybr Ystwyth' – ac i'r chwith ar
lwybr ceffyl, gan ddringo ychydig. Ewch ar y
fforch i'r chwith a mynd trwy glwyd ar lwybr
asffalt sy'n dilyn cyfuchliniau'r bryn a dod
allan ar drac garw i gerbydau sy'n troi'n lôn
untrac. Gan barhau i ddilyn arwyddion
'Llwybr Ystwyth', trowch i'r chwith i lawr i'r
A487. Trowch i'r dde a, bron yn union, i'r
chwith i mewn i ddatblygiad tai newydd. Ar
ddiwedd y llwybr tarmac, ewch ar drac –
llwybr di-draffig newydd sydd eto'n dilyn
llwybr yr hen reilffordd ac a aiff â chi i
Aberystwyth, gan osgoi'r briffordd. Ar ôl bron

1km fe ddewch at lôn, trowch i'r dde ac, ar ôl
150m, i'r chwith yn ôl ar y llinell reilffordd.
Mae Afon Ystwyth wrth eich ochr unwaith
eto: cadwch lygad am y glas a dorlan a
chlochdar y cerrig, ac yna pioden y môr a'r
cwtiad torchog yn nes at y glannau. Mae
golygfeydd braf o'r pentiroedd balch sy'n
wynebu'r môr ac yn cau am y dref cyn i chi
gyrraedd marian graeanog a Môr Iwerddon.

Mae lôn untrac yn mynd islaw Pen Dinas,
sef safle bryngaer o'r Oes Haearn a chofeb a
adeiladwyd ym 1858 i anrhydeddu Dug
Wellington: mae hwn yn fryn da i'w ddringo
os ydych am adael y beic am awr neu ddwy.
Byddwch yn dod i mewn i ben deheuol

Beth i'w weld

❶ Llyfrgell Genedlaethol Cymru Yma fe gewch siop a bwyty, yn ogystal ag arddangosfeydd o gasgliadau helaeth y llyfrgell. *llgc.org.uk*

❷ Castell Aberystwyth Un o gestyll gorau Cymru ar un adeg. Mae'r adfail ar safle gwych yn edrych dros Fôr Iwerddon. *aberystwyth.com/castle*

❸ Rheilffordd Clogwyn Aberystwyth Os yw eich coesau'n flinedig, ewch am daith i fyny Craig Glais ar y rheilffordd drydan i gael golygfeydd ardderchog a chamera obscura mwyaf y byd. *aberystwythcliffrailway.co.uk*

Atgyweiriadau a mân ddarnau

Mae **Summit Cycles** ar Rodfa'r Gogledd yn ardderchog ac mae ganddynt weithdy ac unrhyw rannau sbâr pe byddech eu hangen.

t Mae **gwybodaeth i dwristiaid** i'w chael ar Rodfa'r Môr, ychydig yn ôl o'r glan môr yn Aberystwyth.

85

Aberystwyth trwy ddatblygiad tai uwchben yr harbwr. Dilynwch yr arwyddion drwy'r dref, dros bont newydd sy'n croesi Afon Rheidol ac ymlaen at lan y môr.

Tref fach hunangynhwysol yw Aberystwyth sy'n brifddinas answyddogol Canolbarth Cymru. Fe'i gelwid yn 'Brighton Cymru' a daeth yn ffasiynol iawn yn Oes Fictoria pan fyddai pobl dosbarth canol o Loegr yn tyrru yno ar eu gwyliau. Mae'n hawdd dod i wybod eich ffordd o amgylch y dref.

Mae'r glan môr hyfryd yn ddiweddglo addas i Lôn Teifi gan ymestyn tua'r de o Graig Glais hyd geg yr harbwr. Mae nifer o

adeiladau hanesyddol yn y dref, gan gynnwys adfeilion castell canoloesol, Hen Goleg Prifysgol Aberystwyth (daw tua 8000 o fyfyrwyr yno yn ystod y tymor) a therfynfa'r rheilffordd gyda'i chymysgedd diddorol o bensaernïaeth Gothig, Diwygiad Clasurol, Fictoraidd ac Edwardaidd. 'Aber' fel y'i gelwir ar lafar yw cartref Llyfrgell Genedlaethol Cymru hefyd. Mae dewis o sawl traeth: os ydych wedi beicio o Abergwaun, rydych yn haeddu rhoi eich traed yn y dŵr. Daw Lôn Teifi i ben yn swyddogol yn y Pier Brenhinol, sef pier er pleser cyntaf Cymru a adeiladwyd ym 1865.

Lle i aros

Fel y byddech yn ei ddisgwyl yn y dref brifysgol fywiog hon ceir ystod eang o lety. I wersyllwyr mae safle carafanau a gwersylla **Midfield** wedi ei leoli'n agos i'r llwybr beicio yn Nhollborth y De (*midfieldcaravanpark.co.uk*). Yn y dref ei hun, dewis da ar gyllideb dynn yn ystod misoedd yr haf yw neuaddau **Prifysgol Aberystwyth** (*aber.ac.uk*): cewch hefyd fynediad i bwll nofio, tai bwyta a siopau'r campws. I fod yn agosach i'r bwrlwm

yng nghanol y dref gallech letya yn **Nhŷ Gwesty Shoreline** (*aberystwyth.org.uk*) ar Rodfa'r De ger y castell. Fodd bynnag, os hoffech ychydig o steil a mwynhau golygfeydd godidog o'r môr, a chael ychydig o faldod, yna dylai **Gwesty Cymru** ar y promenâd fod i'r dim i chi. (*gwestycymru.com*).

Lôn Cambria: Aberystwyth i'r Amwythig

O lan y môr Fictoraidd Aberystwyth, mae Lôn Cambria yn dilyn Afon Ystwyth tua'r dwyrain, yn uchel i mewn i Fynyddoedd Cambria ac ymlaen heibio cronfeydd mawreddog Cwm Elan tua'r ffin â Lloegr, gan ddilyn afonydd Gwy a Hafren – dwy o afonydd mawr y DU.

Mae Llwybr 81 yn dechrau'n raddol ar lwybr hen reilffordd, gan ddilyn Afon Ystwyth. Mae'n daith hyfryd a fyddai'n ddiwrnod allan bendigedig i'r teulu. Ar ôl 17km mae'r ffordd yn codi trwy geunant serth a choediog iawn a byddwch yn dechrau dringo am gyfnod hir, ond gwerth chweil, mewn golygfeydd godidog, yn enwedig ar Ystad Hafod yn y bryniau. Ceir cryn dystiolaeth o'r gweithgaredd mwyngloddio plwm a sinc a fy yma o gyfnod y Rhufeiniaid hyd yr ugeinfed ganrif.

Mae'r llwyfandir di-goed ar ben Mynyddoedd Cambria yn baradwys llaith o frown a browngoch a gwyrdd a elwir yn 'anialdir Cymru'. Mae'n fan enigmatig, gyda'r barcud coch yn troelli wrth hedfan uwchben: mae mynd i'r rhostir ucheldirol hwn ar ddiwrnod clir yn brofiad bythgofiadwy.

Yn yr un modd, ni fyddwch yn anghofio'r profiad gogoneddus o ddisgyn trwy Gwm Elan: gellir reidio llawer o hwn ar Lwybr Cwm Elan – adran 14km o lwybr di-draffig sy'n ymddangos yn ddiymdrech ac yn arwain heibio'r argaeau Fictoraidd i Raeadr Gwy, lle mae Llwybr 81 yn cyfarfod â Dyffryn Gwy.

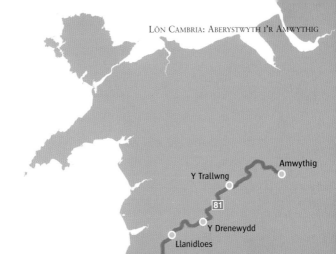

Byddai hon hefyd yn gwneud taith wych i'r
teulu. O Bont-rhyd-y-groes mae llwybr amgen
dros Fynyddoedd Cambria, yn dilyn trac
pellennig heibio tarddle Afon Teifi: mae'n
addas ar gyfer beiciau mynydd yn unig.

O Raeadr Gwy mae'r llwybr yn ymlwybro
tua'r gogledd ar hyd Afon Gwy ac yna dros y
bryniau i dref farchnad hardd Llanidloes, lle
mae'n ymuno ag Afon Hafren – a fydd yn
gydymaith i chi o dro i dro yr holl ffordd i'r
Amwythig. Unwaith eto, fodd bynnag, mae
Lôn Cambria yn codi'n serth o lawr y dyffryn
yn aml, a bydd y coesau'n ymwybodol
iawn o hyn.

Aberystwyth i Bont-rhyd-y-groes

Pellter 24km/15 milltir **Tirwedd** Yn wastad ar y cyfan am yr 16km cyntaf, yn dilyn Afon Ystwyth, yn bennaf ar lwybr hen reilffordd, ac yna'n disgyn yn raddol trwy geunant; un ddringfa i gyrraedd hen bentref fwyngloddio Pont-rhyd-y-groes. Nid oes siop feiciau rhwng Aberystwyth a Rhaeadr: sicrhewch fod popeth fydd arnoch ei angen gyda chi **Amser** 2-3 awr **Dringo** 415m

Cyflwyniad hyfryd i Lôn Cambria a harddwch Afon Ystwyth

Mae Lôn Cambria'n dechrau'n swyddogol wrth y Pier Brenhinol, symbol sydd wedi goroesi ers oes aur y dref gyfeillgar hon fel cyrchfan glan y môr. Ewch i gyfeiriad y de, ar hyd y promenâd urddasol, heibio adfeilion tameidiog y castell canoloesol ac ar hyd Rhodfa'r De, cyn belled â'r marina cychod hwyliau. Trowch i'r chwith ar hyd Ffordd y Cei a dilyn yr arwyddion at y bont droed newydd sy'n croesi Afon Rheidol. Croeswch yr A487 (chwith ac yna'n syth i'r dde) a dringo bryn bach, ar Ffordd Felin y Môr, trwy ddatblygiad tai, heibio'r harbwr ac ar lôn untrac gyda chlawdd cerrig mân a'r traeth ar eich llaw dde. Byddwch yn mynd islaw Pen Dinas, sef safle bryngaer Oes Haearn a chofeb a godwyd ym 1858 i anrhydeddu Dug Wellington. Mae'r golygfeydd ar hyd yr arfordir yn hyfryd.

Pan gyrhaeddwch hen adeiladau fferm, ewch ar y fforch i'r dde trwy glwyd ar y llwybr beicio tarmac newydd a adeiladwyd ar ben hen lwybr y rheilffordd. Gyda'ch cefn at y môr, dilynwch yr afon ar Lwybr Ystwyth. Dyma adran esmwyth, hyfryd ar draws dolydd afon

◄ Promenâd Aberystwyth

ac mae'n gychwyn gwych i'ch taith ar draws Cymru. Chwiliwch am las y dorlan, clochdar y cerrig, pioden y môr a'r cwtiad torchog ger hyd yr arfordir.

Trowch i'r dde i lôn ar ben y llwybr beicio ac, ar ôl 150m, ewch i'r chwith trwy glwyd ddwbl a dringo'n raddol ar y llwybr beicio. Ar ôl 1km, byddwch yn dod at ffordd: ewch yn syth ymlaen am 100m, yna i'r dde ac yn syth i'r chwith i groesi'r A487: byddwch yn ofalus. Trowch i'r dde yn y gyffordd T ar ôl 50m a dilyn y lôn untrac. Mae'r lôn yn troi'n llwybr ceffyl — ewch yn syth ymlaen i fyny'r bryn a fforchio i'r dde, i lawr y rhiw ar ôl 100m. Ewch ar hyd ymylon dôl hyfryd i ymuno â llwybr ceffyl arall sy'n dod â chi i lawr at bont dros Afon Ystwyth. Croeswch, ac ymuno â'r llwybr beicio lludw, sy'n dilyn llwybr yr hen reilffordd unwaith eto.

Mae'n wych pedlo ar hyd yr hen reilffordd, a oedd yn wreiddiol yn rhan o lein Manceinion ac Aberdaugleddau (*gweler tudalen 28*). Ni allai Dr Beeching fyth fod wedi dychmygu'r pleser a fyddai'n dod i feicwyr pan arweiniodd ei adroddiad ar y rheilffyrdd at gau cynifer o ganghennau'r rheilffyrdd ledled y DU yn y 1960au. Bu Sustrans wrthi'n hapus yn arwain yr ymgyrch i agor

llawer o'r hen linellau segur — ffaith y byddwch yn ei dathlu wrth reidio ar lan Afon Ystwyth.

Wedi sawl cilomedr hyfryd, daw'r llwybr beicio â chi at y B4575: ewch i'r chwith ac yn syth i'r dde, yn ôl ar yr hen reilffordd, gan ddringo'n raddol am 500m arall. Trowch i'r chwith o dan y bont reilffordd ar y lôn nesaf.

Ar ôl 100m, yn y gyffordd ger yr afon, trowch yn sydyn i'r dde ar lôn arall, gan barhau i ddilyn yr arwyddion am Lwybr Ystwyth. (Os ydych ar feic ffordd ac os nad ydych yn awyddus i fynd ar yr adran llwybr ceffyl o'ch blaen, croeswch yr afon yma a throi i'r dde ar y B4340 yn Nhrawsgoed; ailymunwch â Llwybr 81 ar ôl 3.5km, ger y bont nesaf i fyny'r afon.)

Ar ôl ychydig dros 1km, dilynwch y fforch i'r chwith. Pan fyddwch yn dechrau dringo'n serth, edrychwch am yr hen lwybr rheilffordd ar eich llaw chwith. Mae'r llwybr beicio yn troi'n llwybr ceffyl ac yn disgyn i groesi nant. Ewch heibio rhes o fythynnod a chyfarfod â'r B4340: yma mae Llwybr Ystwyth a Llwybr 82 yn mynd i'r dde. I ddilyn Llwybr 81, trowch i'r chwith i lawr rhiw fer ac i'r dde yn union cyn croesi'r afon.

Mae'r ffordd yn mynd i mewn i geunant hardd gydag ochrau serth a llawer o goed. Mae nifer o hen fwyngloddiau segur ar ochr bellaf y dyfroedd clir fel grisial sy'n

llifo'n gyflym: bu mwyngloddio arian, plwm a sinc yn y dyffryn ers cyfnod y Rhufeiniaid hyd anterth y diwydiant yn y ddeunawfed ganrif. Bellach ni cheir unrhyw fwyngloddio metel yma, ond ceir lefelau uwch na'r arferol o sinc a phlwm yn yr afon, sy'n tryddiferu o'r hen fwyngloddiau.

Mae'r ffordd yn codi uwchlaw'r afon i gyrraedd hen bentref mwyngloddio Pont-rhyd-y-groes. Roedd yn bentref o bwys yn y bedwaredd ganrif ar bymtheg ac yn ganolbwynt gweithgareddau mwyngloddio plwm Lisburne; am gyfnod yn y 1880au hwn oedd yr ail fwynglawdd mwyaf ym Mhrydain. Cafodd yr olwyn ddŵr o'r cyfnod hwn ei hailadeiladu ac mae'n dal yn ei lleoliad wrth i chi ddod i mewn i'r pentref. Ceir yma siop, tafarn dda iawn ac amrywiol nodweddion eraill yn ymwneud â mwyngloddio. Pe bai gennych amser, mae mynd am dro ar droed ar lan yr afon yn bleser pur hefyd.

Beth i'w weld

❶ Llyfrgell Genedlaethol Cymru

Yma fe gewch siop a bwyty, yn ogystal ag arddangosfeydd o gasgliadau helaeth y llyfrgell. *llgc.org.uk*

❷ Castell Aberystwyth
Un o gestyll gorau Cymru ar un adeg. Mae'r adfail ar safle gwych yn edrych dros Fôr Iwerddon. *aberystwyth.com/castle*

❸ **Rheilffordd Clogwyn Aberystwyth** Os yw eich coesau'n flinedig, ewch am daith i fyny Craig Glais ar y rheilffordd drydan i gael golygfeydd ardderchog a chamera obscura mwyaf y byd.
aberystwythcliffrailway.co.uk

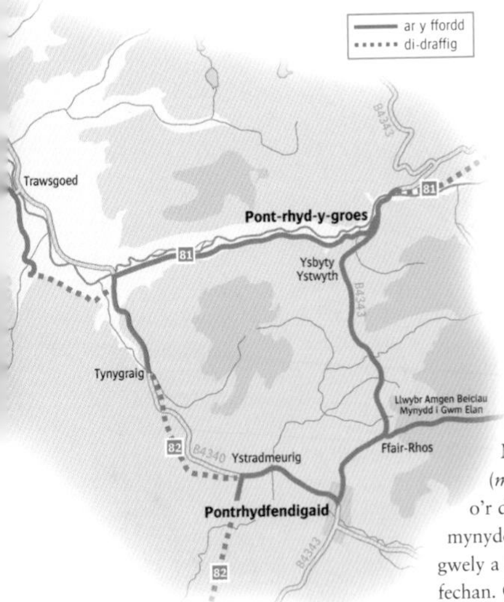

— ar y ffordd
····· di-draffig

Lle i aros

Mae bwyd da a gwely am bris rhesymol i'w gael yn nhafarn groesawgar y **Miners Arms** ym Mhont-rhyd-y-groes (*minersarms.net*). Neu, ychydig allan o'r dref gyda golygfeydd gwych tua'r mynyddoedd, mae **Pantgwyn** yn lletty gwely a brecwast heddychlon ar fferm fechan. Cewch ragor o ddewis os ewch oddi ar y llwybr i fyny i Bontarfynach i dreulio'r nos. Mae gan **Westy Hafod** hanesyddol ddigonedd o ystafelloedd cyffordus a golygfeydd o'r rhaeadrau a'r pontydd enwog (*thehafodhotel.co.uk*), ac i'r rheiny sy'n cario eu pebyll bydd gan **Barc Carafanau Woodlands** bopeth fydd ei angen arnoch (*woodlandsdevilsbridge.co.uk*).

Atgyweiriadau a mân ddarnau

Mae **Summit Cycles** ar Rodfa'r Gogledd yn ardderchog ac mae ganddynt weithdy ac unrhyw rannau sbâr pe byddech eu hangen.

📌 Mae **gwybodaeth i dwristiaid** i'w chael ar Rodfa'r Môr, ychydig yn ôl o'r glan môr yn Aberystwyth.

◄ Croesi Afon Rheidol

93

Pont-rhyd-y-groes i Raeadr Gwy

Pellter **38km/23.5 milltir** Tirwedd **Mynyddig, ar ffyrdd tawel; dringo llafurus o Gwmystwyth i lwyfandir dramatig a hardd Mynyddoedd Cambria, ac yna disgyniad hir a hyfryd trwy Gwm Elan; mae yna lwybr oddi ar y ffordd drwy Stad yr Hafod a llwybr beicio trwy Cwm Elan. Cofiwch brynu popeth fydd arnoch ei angen ym Mhont-rhyd-y-groes cyn gadael** Amser **3-4 awr** Dringo **800m**

Mae croesi Mynyddoedd Cambria yn uchafbwynt taith Lôn Cambria: dyma berfeddwlad Cymru lle gall y tywydd fod yn arw ac yn ddidostur. Os llwyddwch i gael diwrnod clir, bydd y daith yn fythgofiadwy. Mae llwybr amgen i feiciau mynydd, heibio Llynnoedd Teifi a Chronfa Ddŵr Claerwen i Raeadr Gwy, a llwybr byr dros y top o flaen Cwmystwyth i Ddyffryn Gwy. Ewch â phopeth y byddwch chi ei angen am y diwrnod cyfan gyda chi, ar bob llwybr.

Os ydych ar feic mynydd ac am gael antur, gallwch gyrraedd Rhaeadr Gwy ar lwybr arall gyda adran oddi ar y ffordd hir. Ewch i gyfeiriad y de o Bont-rhyd-y-groes ar y B4343: mae angen dringo caled i gyrraedd Ffair-Rhos lle byddwch yn troi i'r chwith ar lôn. Mae'r ffordd hon yn dringo, yn serth mewn mannau, i gyrraedd Llynnoedd Teifi, tarddle Afon Teifi. Mae'r ffordd yn newid i fod yn drac dros y mynyddoedd a heibio Cronfa Ddŵr Claerwen. Ger yr argae, rydych unwaith eto ar darmac. Mae'r llwybrau'n ymuno ger Cronfa Ddŵr Caban-Coch, cyn yr adran olaf i lawr i Raeadr Gwy.

Os ydych yn dilyn y Llwybr 81 arferol, ewch ar y B4343 heibio tafarn y Miners Arms, tua'r gogledd o Bont-rhyd-y-groes a chroesi Afon Ystwyth. Mae'r ffordd yn gwyro i'r dde ac, ar ôl 100m, yn fforchio i'r dde ar drac, ac yn mynd heibio Lower Lodge i mewn i Stad yr Hafod. Am 3km, mae

Llwybr 81 yn nadreddu trwy gefn gwlad hardd: llwybr oddi ar y ffordd sydd yma, yn bennaf ar draciau i gerbydau gyriant pedair olwyn sydd wedi'u cynnal a'u cadw'n dda, gydag adran ddidramwy fwy garw. Y dewis arall yw aros ar y ffordd dosbarth B ac anelu am Gwmystwyth.

Thomas Johnes, ffermwr, pensaer tirwedd, ysgrifennwr a chymwynaswr lleol a greodd Stad yr Hafod. Etifeddodd Johnes 10,000 erw o ucheldir Ceredigion ym 1780 ac aeth ati'n frwd iawn i'w trawsnewid. Cynhaliodd fferm arbrofol, adeiladodd dai ac ysgolion a phlannodd tua 4 miliwn o goed rhwng 1782 a 1813. Roedd 'Picturesque principles' William Gilpin wedi'i ysbrydoli o ran y dirwedd ac felly newidiodd y tŷ a'i diroedd, yn llawn o raeadrau, grotos a gerddi crog, yn lle enwog yn Ewrop ac yn Baradwys Gymreig. Fe blannodd goed llarwydd a phin ar dir uchel a choed derw a ffawydd yn is i lawr. Aeth y plasty a'i ben iddo yn yr ugeinfed ganrif, ond erys harddwch y dirwedd a greodd Johnes. Bellach Ymddiriedolaeth yr Hafod a'r Comisiwn Coedwigaeth sy'n rheoli'i stad.

Mae Llwybr 81 ychydig yn anodd ei ddilyn ar draws y stad: rhaid i chi ddefnyddio'ch synnwyr cyfeiriad. I ddechrau, mae'r trac yn dilyn Afon Ystwyth, mewn coedwig ffawydd. Ar ôl clwyd, mae'r trac yn dringo: trowch i'r dde pan ddewch chi at drac coedwigaeth sydd wedi'i gynnal a'i gadw'n well, a mynd i mewn i lannerch, gan arwain yn ôl i edrych dros ran hyfryd o'r afon. Ewch i'r chwith wrth

y fforch nesaf ar y trac coedwigaeth, gan ddringo'n araf nes i chi gyrraedd llwybr tarmac. Yma, mae golygfeydd hyfryd o'ch blaen, dros y mynyddoedd.

Pan gyrhaeddwch y B4574, trowch i'r dde a disgyn ar hyd rhiw serth i groesi nant cyn dringo rhiw fer. Ger yr arwydd ildiwch, trowch i'r dde, a dilyn arwydd Rhaeadr Gwy. Mae'r ffordd yn mynd trwy Gwmystwyth (dyma ganolbwynt Cymru yn ôl yr Arolwg Ordnans) ac yn dechrau dringo'n gyson am 8km, felly byddwch yn barod. Mae gwobr i'w chael, sef ffordd a ddisgrifiwyd gan yr AA unwaith fel 'un o'r deg teithiau harddaf eu golygfeydd yn y byd'.

Dechreuodd pobl fwyngloddio am gopr yng Nghwmystwyth yn yr Oes Efydd, dros 3500 o flynyddoedd yn ôl. Mae tystiolaeth archeolegol o weithgarwch mwyngloddio yng nghyfnod y Rhufeiniaid ym Mhrydain a'r cyfnod canoloesol. Mae olion adfeiliedig y mwyngloddiau a'r adeiladau a welwch ger y ffordd, sy'n troelli i fyny'r dyffryn, yn gofebion i'r mwyngloddio sinc a oedd yn ei anterth yn ystod y bedwaredd ganrif ar bymtheg. Mae'r pentyrrau cerrig gwastraff, y pyllau olwyn dŵr a'r systemau dyfrffos a'r strwythurau gyda'i gilydd yn creu tirwedd ddiddorol amlwg, sydd rywfodd yn cyfoethogi'r cefn gwlad godidog o'i hamgylch.

Hanner ffordd i fyny, ym Mlaenycwm, yn union cyn i'r ffordd groesi'r afon pan fyddwch yn gadael pob math ar anheddu dynol ar eich ôl, mae llwybr amgen, uchel, ar eich llaw chwith (Llwybr 818). Llwybr byr i Ddyffryn Gwy a Llangurig yw hwn, gan osgoi Rhaeadr Gwy a hepgor 44km o Lwybr 81: trac Land Rover yw ar y dechrau, cyn troi yn ffordd untrac. Mae'n reid llawn cyffro, gyda digonedd o ddringo, gan gyrraedd 530m, sef pwynt uchaf Lôn Cambria.

Gan barhau i fyny Cwmystwyth, byddwch ar eich pen eich hun gyda dim ond darn o darmac a bryniau tonnog diddiwedd yn gwmni i chi. Wrth nesáu at frig y dringo, fe welwch dyrbinau gwyn Cefn Croes, a fu ar un adeg yn fferm wynt fwyaf y DU, a'r un fwyaf dadleuol. Un darn o ddringo arall a byddwch ar fan uchaf Canolbarth Cymru.

Mae'r ffordd yn anelu tua'r de-ddwyrain, gan ddilyn cyrion cors ucheldirol fawr: yn hanner pridd a thyweirch ac yn hanner dŵr, mae hon yn nodweddiadol o Fynyddoedd Cambria. Ar eich llaw chwith mae rhostir yn llawn corhedydd y waun ac ehedydd yn yr haf. Edrychwch i fyny a bydd hi'n debygol y gwelwch farcud coch ac efallai'r cudyll bach. Ar ôl 7km, heibio dwy fferm ddiarffordd iawn

a rhan o Afon Elan ifanc, fe dewch at gyffordd i fyny'r rhiw. Trowch i'r dde a disgyn i lawr i Gwm Elan, gyda Chraig Goch, y gronfa ddŵr uchaf yn y dyffryn, o'ch blaen. Mae'r olygfa'n ddigon o ryfeddod.

Mae'r ffordd yn troelli o amgylch Craig Goch. Croeswch yr argae gyntaf a throi i'r dde ar lwybr beicio – yr hen linell reilffordd – am adran 14km o lwybr di-draffig sy'n ymddangos yn ddiymdrech (Llwybr Cwm Elan) i lawr i Raeadr Gwy. Roedd Cwm Elan yn enwog am ei

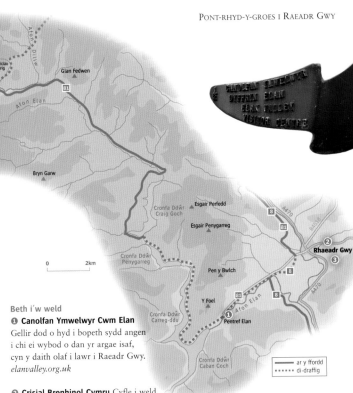

Beth i'w weld

❶ Canolfan Ymwelwyr Cwm Elan
Gellir dod o hyd i bopeth sydd angen i chi ei wybod o dan yr argae isaf, cyn y daith olaf i lawr i Raeadr Gwy. *elanvalley.org.uk*

❷ Crisial Brenhinol Cymru Cyfle i weld crefftwr wrth ei waith, yn chwythu a throi gwydr ar deithiau tywys ac arddangosiadau rheolaidd. Yma hefyd ceir caffi a siop. *rhayader.com/crystal*

❸ Canolfan y Barcud Coch, Fferm Gigrin
Bydd barcutiaid, cudyllod a chigfrain yn hedfan i gael eu bwydo yn y cuddfannau bob prynhawn ar y fferm bywyd gwyllt hon. *gigrin.co.uk*

Atgyweiriadau a mân ddarnau
Dylai **Clive Powell Mountain Bikes**, sy'n hawdd dod o hyd iddi yn Rhaeadr Gwy, eich helpu ar eich ffordd.

ⓘ Mae **gwybodaeth i dwristiaid** ar gael yn y Rhaeadr Gwy, yn y Ganolfan Hamdden oddi ar Ffordd y Gogledd.

◀ Argae Craig Goch

harddwch ers talwm (bu'r bardd Percy Shelley yn byw yma am gyfnod, ym 1812), ond prosiect enfawr yr argae, a adeiladwyd i ddarparu dŵr i bobl Birmingham, a roddodd y lle ar y map. Cwblhawyd yr argaeau ym 1904 ac fe'u hagorwyd gan y Brenin Edward VII. Bellach cânt eu defnyddio hefyd i gynhyrchu trydan adnewyddadwy hydro-electrig. Mae ymdrech gadwraeth sylweddol wedi sicrhau bod cyffiniau'r argaeau, y blodau a'r anifeiliaid, yn ffynnu unwaith yn rhagor. Mae digonedd o goetir conifferaidd; yn is i lawr, mae coetir llydanddail gyda nifer mawr o'r deri mes digoes.

Daw'r llwybr di-draffig â chi at y B4518, ar ymylon Rhaeadr Gwy. Trowch i'r dde am ganol y dref.

Lle i aros

Mae gan dref Rhaeadr Gwy amrywiaeth dda o leoedd i aros. Os ydych am wersylla rhowch gynnig ar **Barc Gwersylla Wyeside** (*wyesidecamping.co.uk*) ychydig i'r gogledd o'r dref neu **Fferm Gigrin** (*gigrin.co.uk*), taith fer ar y beic i'r de. Ymhlith y digonedd o letyau gwely a brecwast mae **Brynteg a Liverpool House** ar Stryd y Dwyrain (*liverpoolhouse.co.uk*), lletyau syml ond cyfeillgar i feiciau. Wrth dŵr y cloc mae'r **Tŷ Morgans** crand (*tymorgans.co.uk*) yn cynnig bar, bistro ac ystafelloedd. Allan o'r dref, mae **ffermdy Beili Neuadd** (*midwalesfarmstay.co.uk*), 3km i'r gogledd ddwyrain ar hyd Llwybr Rhanbarthol 25, oddi ar Ffordd Abaty Cwm Hir, yn cynnig llety byncws, gwely a brecwast a chalets.

Rhaeadr Gwy i'r Drenewydd

Pellter 48km/30 milltir Tirwedd Yn wastad yn bennaf, cyn belled â Llangurig, ac yna'n fryniog iawn; i gyd ar lonydd gwledig tawel, gydag adran o lwybr beicio yn arwain i ganol y Drenewydd Amser 3-4 awr
Dringo 865m

Taith o ddau hanner gwahanol iawn: i Langurig, byddwch yn dilyn Afon Gwy ar ddechrau ei thaith – reid esmwyth gyda digonedd o amser i fyfyrio ar harddwch y dyffryn hwn; o Langurig i'r Drenewydd, mae'r bryniau'n ddiddiwedd a bydd y cluniau'n brifo.

Bu Rhaeadr Gwy, ar lannau Afon Gwy, yn fan croesi ers canrifoedd. Arferai dynion yr Oes Efydd ddod i lawr o'r bryniau a chyfarfod yma, croesodd llengoedd Rhufeinig yr afon, byddai'r porthmyn yn casglu'u da byw cyn troi am ddinasoedd diwydiannol Lloegr, arferai'r goets fawr newid ceffylau yma ac roedd y rheilffordd yn rhedeg trwy'r dref tan

1962, pan fwriodd toriadau Beeching Rhaeadr i'r oes o'r blaen o ran trafnidiaeth. Mae'r dref wedi cadw llawer o'i hapêl a'i dilysrwydd pensaernïol ac, oherwydd harddwch enwog Cwm Elan, yn dawel bach, fe ddaeth yn atyniad i dwristiaid. Mae sawl tafarn a thŷ bwyta da yno.

Bellach mae Mynyddoedd Cambria y tu ôl i chi ac mae natur Llwybr 81 yn newid yn aruthrol. O gloc y dref ar y groesffordd yn y canol, ewch i fyny Stryd y Gorllewin, yn ôl tuag at Gwm Elan, croesi Afon Gwy ac wedi 500m trowch i'r dde, yn union wedi i chi fynd heibio man cyfarfod Llwybr Cwm Elan a'r B4518.

Rhwng Rhaeadr Gwy a Llanidloes, mae Llwybr 81 yn dilyn Llwybr Cenedlaethol 8 (Lôn Las Cymru – llwybr gwych arall Sustrans sy'n croesi Cymru, o Gaergybi ar Ynys Môn yn y gogledd i Gaerdydd neu Gas-gwent yn y de). Ar ôl 1km, trowch i'r dde a fyny'r rhiw ac yna disgyn i lawr i Ddyffryn Gwy. Mae'r afon

◀ Beicio yng Nghwm Elan a (y dudalen hon) siop feiciau Rhaeadr Gwy

a llwybr yr hen reilffordd ar eich llaw dde. Byddwch yn mynd trwy sawl coedwig a gallwch glywed suo'r traffig ar yr A470, sy'n dwysáu pleser beicio i lawr y lôn wag, hardd hon.

Byddwch yn dringo nes cyrraedd fferm Nannerth-fawr ar droad yn yr afon, ac yma ceir golygfeydd gwych i lawr y dyffryn. Dyma ddechrau taith Afon Gwy, sef pumed afon hiraf y DU: mae ei tharddiad ar Bumlumon, ger tarddiad afon Hafren, tua 25km i'r gorllewin ym Mynyddoedd Cambria. Mae'n gydymaith pefriog a chlir, a thrawiadol ar adegau, i Lôn Cambria cyn belled â Llangurig.

Tua 10km o Raeadr Gwy fe ddewch at gyffordd T: trowch i'r dde, yn ôl tua'r afon ac, ar ôl 100m, i'r chwith ar lôn arall gan barhau i fynd i fyny'r afon. Ar ôl 6km arall byddwch yn croesi Afon Gwy (ac yn ei gadael) ar gyrion Llangurig.

Yn Llangurig, trowch i'r chwith (mae siop bentref ar y gornel) ac yna i'r dde ar eich union (ger tafarn y Bluebell) i groesi'r A44. Mae'r lôn yn dringo'n serth, ac yn parhau i godi a disgyn dros y bryniau isel sy'n gwahanu afonydd Gwy a Hafren. Rhaid disgyn

yn serth dwywaith - profiad a fydd yn rhoi eich brêcs ar brawf: byddwch yn ofalus os oes dail ar y ffordd a'i bod yn wlyb. Ar ôl ychydig dros 6km, fe ddewch at arwydd 'Ildiwch': trowch i'r dde, gan ddilyn yr arwydd am Lanidloes. Yn y dref, trowch i'r dde dros Afon Hafren ac, ar ben Ffordd Penygreen, i'r dde eto dros yr afon ac i mewn i'r canol.

Hen Neuadd y Farchnad, sydd o'ch blaen ger y groesffordd yn y canol, yw adeilad mwyaf amlwg Llanidloes. Hon hefyd yw'r neuadd farchnad hanner ffrâm bren olaf yng Nghymru. Yn hanesyddol, roedd tref Llanidloes yn weddol ffyniannus: daeth mwyngloddio plwm, tecstilau a'r diwydiant gwlanen oll ag arian i'r dref mewn canrifoedd gwahanol, a gwelir y cyfoeth yn y bensaernïaeth. Ar lawr uwch Hen Neuadd y Farchnad mae amgueddfa'n arddangos yr adeiladau ffrâm pren. Mae pob cyfleuster ar gael, gan gynnwys siop bwyd cyflawn a chaffi da. Mae gan Lanidloes enw da am fod yn hafan ar gyfer byw'n 'wyrdd'.

Trowch i'r chwith ger Hen Neuadd y Farchnad ac, wrth y gylchfan yng ngwaelod Stryd y Bont Hir, trowch i'r chwith dros Afon

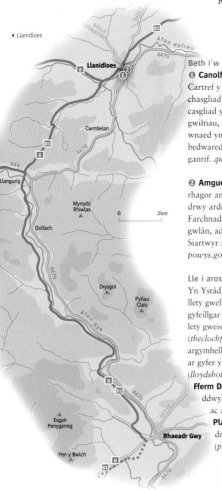

◀ Llanidloes

Beth i'w weld

❶ Canolfan Gelfyddydau Minerva

Cartref y Gymdeithas Cwiltiau a'i chasgliad o gwiltiau treftadaeth. Mae'r casgliad yn cynnwys nifer fawr o hen gwiltiau, templedi cwiltio a fframiau a wnaed yng Nghymru yn ystod y bedwaredd ganrif ar bymtheg a'r ugeinfed ganrif. *quilt.org.uk*

❷ Amgueddfa Llanidloes Cyfle i ddysgu

rhagor am hanes a diwydiant yr ardal drwy arddangosfeydd yn yr Hen Neuadd Farchnad, y diwydiannau cloddio a gwlân, adeiladu'r rheilffordd, mudiad y Siartwyr a therfysgoedd 1839. *powys.gov.uk*

Lle i aros

Yn Ystâd Clochfaen yn Llangurig ceir llety gwely a brecwast **Aubrey's**, sy'n gyfeillgar i feicwyr ac wedi ei leoli yn hen lety gweision y tŷ arddull celf a chrefft (*theclochfaen.co.uk*). Yn Llanidloes, argymhellir **Gwesty Lloyds** cyfeillgar ar gyfer ystafelloedd a bwyta (*lloydshotel.co.uk*). Mae maes gwersylla yn **Fferm Dol-llys**, 1.5km i'r gogledd ddwyrain o Lanidloes oddi ar y B4569, ac ar gyfer grwpiau, mae **Byncws Plasnewydd** 3km i'r dwyrain o'r dref ar hyd Ffordd Gorn (*plasnewyddbunkhouse.co.uk*).

——— ar y ffordd
•••••• di-draffig

Hafren ac yna i'r dde i lawr Stryd Eastgate. Ar ôl 500m, fforchiwch i'r chwith er mwyn cyrraedd lôn. Rhwng y pwynt hwn a'r Drenewydd, mae Lôn Cambria yn fryniog iawn ac yn anodd: gair o rybudd.

Ychydig dros 2km o Lanidloes, ar ben y bryn, ewch ar y fforch i'r chwith a dechrau disgyn: mae'r ffordd yn troi i'r dde, i mewn i bentrefan Oakley Park – rydych yn teithio'n gyflym. Cadwch lygad am y tro i'r chwith i lawr y rhiw – mae'r arwyddbost yn anodd ei weld. Mae Capel Presbyteraidd Oakley Park ar y gornel. Croeswch y nant yng ngwaelod y dyffryn a dringo eto am 1.5km.

Wrth ddisgyn yn hyfryd am gyfnod hir, edrychwch am y troad i'r chwith am Gaersws wrth i chi fynd i mewn i goedwig. Dringwch eto ac yna disgyn – 'does prin amser i ddal eich gwynt ar ben y bryniau hyn, ac yna troi i'r dde wrth fferm Trewythen-fawr. Daw'r lôn hon â chi i lawr i ddyffryn, wrth ochr Afon Trannon, llednant Afon Hafren. Bydd yr 1km olaf a gwastad i mewn i Gaersws yn rhyddhad.

Trowch i'r dde ar y B4569, croeswch y rheilffordd (mae gorsaf yma) a mynd i mewn i Gaersws. Trowch i'r dde ar yr A470 (gyda gofal). Mae ambell i siop, tafarn a chaffi da yma.

Mae Llwybr 81 yn mynd i'r de ar yr A470 allan o Gaersws, dros Afon Hafren i'r gyffordd â'r A487. Gyda gofal, trowch i'r dde yma, croeswch y rheilffordd ac yna troi yn syth ar Moat Lane. Bydd rhaid dringo am 2km. Ar ben y rhan fwyaf serth, wrth ddringo Bryn Belan, trowch i'r dde ar y gyffordd T ac yna i'r

chwith ar ôl 200m, heibio fferm Bryn-helyg. Arhoswch ar y lôn hon: mae'r daith i lawr yn hyfryd, gyda golygfeydd da, i bentref Stepaside. Trowch i'r dde ac yna'n union i'r chwith wrth y gyffordd T: daw'r ffordd hon â chi at lan Nant Mochdre. Croeswch y nant ac yna ewch yn syth yn eich blaen yn y gylchfan ar ymyl stad ddiwydiannol. Ewch yn syth ymlaen i lwybr beicio sy'n arwain i stad dai: bellach rydych chi yn y Drenewydd.

Nadreddwch drwy'r stad, o dan y llinell reilffordd, dros yr A489 wrth groesfan sebra ac i'r chwith i ddatblygiad tai arall. Dilynwch yr arwyddion i lwybr beicio sy'n arwain at barc cyhoeddus gerllaw Afon Hafren. Cadwch y dŵr ar eich llaw chwith nes i chi gyrraedd pont droed. Mae canol y dref a'r orsaf drenau ar eich llaw dde.

Beth i'w weld

❶ **Oriel Davies** yn y Drenewydd yw un o orielau celf cyhoeddus blaenaf Cymru. *orieldavies.org*

❷ **Amgueddfa Robert Owen** Mae hon wedi ymroi i ddathlu bywyd un o ddiwygwyr cymdeithasol mwyaf y byd. *robert-owen-museum.org.uk*

❸ **Yr Amgueddfa Tecstilau** Mae'r amgueddfa hon ar Stryd Fasnachol, Y Drenewydd, yn rhoi golwg ddiddorol ar weithgynhyrchu tecstilau yr ardal yn y gorffennol.

Lle i aros

Yn y Drenewydd, mae'n hawdd dod o hyd i westy poblogaidd yr **Elephant and Castle** ar Stryd Lydan (*elephantandcastlehotel.co.uk*) ac nid yw **Tŷ Gwesty Yesterdays** ymhell i ffwrdd ar Sgwâr Hafren (*yesterdayshotel.com*). Tu allan i'r dref, ger Ceri, mae **The Forest Country House** yn lle gwely a brecwast mewn man prydferth (*bedandbreakfastnewtown.co.uk*), fel ag y mae'r **Hen Ficerdy** ger Dolfor (*theoldvicaragedolfor.co.uk*).

Atgyweiriadau a mân ddarnau

Bydd **Brooks Cycles** ar Stryd y Bont, Y Drenewydd, yn cadw eich olwynion i droi.

i Gellir gweld **canolfannau croeso** yn Llanidloes ar Stryd y Bont Hir ac yn y Drenewydd ar Back Lane.

103

Y Drenewydd i'r Trallwng

Pellter **27km/16.8 milltir** Tirwedd **Bryniau tonnog, yn bennaf ar lonydd a ffyrdd dosbarth B tawel, gyda rhan 4.5km o lwybr beicio/llwybr tynnu cyfeillgar i deuluoedd, yn mynd trwy'r Drenewydd ac yna allan o'r dref** Amser **2-3 awr** Dringo **374m**

Rhan hawsaf Lôn Cambria efallai, trwy fryniau coediog a thir amaethyddol, gan ganiatáu amser i archwilio trefi marchnad canoloesol Y Drenewydd a'r Trallwng.

Y Drenewydd, a sefydlwyd yn y drydedd ganrif ar ddeg gan Edward I ger rhyd ar yr Afon Hafren, yw'r dref fwyaf yng Nghanolbarth Cymru. Daeth ffyniant i'r dref yn ystod y Chwyldro Diwydiannol, pan mai'r Drenewydd oedd 'Leeds Cymru' a chanolfan masnach wlân a gwlanen y genedl. Yn ystod ail hanner yr ugeinfed ganrif, tyfodd y dref yn sylweddol unwaith eto – fe'i cyhoeddwyd yn ardal datblygu arbennig mewn ymdrech i atal y gostyngiad yn y boblogaeth. Diolch byth, cafodd llawer o'r adeiladau o ddiddordeb pensaernïol yn y canol, o dafarnau ffrâm bren i'r Gyfnewidfa Wlanen yn arddull yr Adfywiad Groegaidd, eu gadael yn gyfan.

Croeswch dros Afon Hafren ar bont droed a pharhau i lawr yr afon ar hyd llwybr sydd i'w

ddefnyddio gan feicwyr a cherddwyr, gadw'n dynn ar yr afon, dan bont ffordd ac allan o'r dref yn gyfochrog â'r B5468, am 3km. Yma byddwch yn dilyn Llwybr Glan yr Afon y Drenewydd. Croeswch dros lôn ger Gwaith Dŵr y Drenewydd i ymuno â llwybr lludw sy'n croesi Gwarchodfa Natur Pwll Penarth, gan ddilyn Llwybr Hafren ar hyd llwybr tynnu Camlas segur Trefaldwyn. Er mwyn archwilio'r warchodfa, croeswch y gamfa ar droed.

Ar ôl bron 1km, gadewch y llwybr tynnu yn Aberbechan. Trowch i'r chwith i groesi'r gamlas ac, ar y gyffordd gyntaf, trowch i'r dde i'r B4389 gan ddilyn un o lednentydd Afon Hafren i fyny'r afon i'r bryniau. Ar ôl 1.5km, dilynwch y ffordd i'r dde, i fyny'r bryn yn raddol i Betws Cedewain. Trowch i'r dde yn y pentref, o flaen tafarn y New Inn. Mae'r ffordd yn rhedeg drwy goetiroedd a reolir a ffermdiroedd âr am 8km. Mae'r dyffrynnoedd â'u hochrau serth y tu ôl i chi erbyn hyn, ac mae'r dirwedd yn gwastatáu ychydig wrth i chi ddynesu at y ffin â Lloegr. Mae'n bosib y bydd hyn yn rhywfaint o ryddhad.

Mae disgynfa serth i groesi Nant Llifior. Gan fynd heibio i Barc y Faenor ar y chwith i chi, rydych chi'n disgyn i lawr i groesi Afon Rhiw ac yn dod i mewn i bentref tlws Aberriw, gyda nifer o dai du a gwyn, o friciau a phren – rhan o bensaernïaeth frodorol y Gororau. Yn ymyl Eglwys Sant Beuno, a godwyd yn y ddeunawfed ganrif, ceir ystafell de ardderchog. Mae yno hefyd ddau dafarn a siop neu ddwy gerllaw, yn ogystal ag Amgueddfa Gerflunwaith ddiddorol Andrew Logan.

O flaen yr eglwys yn Aberriw, trowch i'r chwith ac i'r chwith eto i'r B4390. Ar ôl 100m, trowch i'r dde i fyny'r bryn heibio'r ysgol, ar y B4385. Wrth yr ail groesffordd fechan trowch i'r dde a disgyn i lawr i groesi nant. Wedi dringfa ysgafn trwy ddyffryn tlws â choedwigoedd trwchus ar bob ochr, byddwch yn dechrau disgyn. Ar y chwith mae muriau crand ystâd Castell Powys, un o dai mawr Cymru, wedi'i adeiladu ar gaer ganoloesol a chanddo ardd Eidalaidd fyd enwog. Wedi 2km o feicio rhwydd byddwch yn cyfarfod â'r A458. Trowch i'r chwith a dilynwch y ffordd dosbarth A i mewn i'r Trallwng, gan gymryd gofal – mae'n brysur ac yn gyflym.

Yn y Trallwng, cartref un o farchnadoedd defaid mwyaf Ewrop, rydych chi ger Afon Hafren a dim ond 5km/3 milltir o'r ffin â Lloegr: mae'r dref yn edrych ac yn teimlo'n Seisnig heb unrhyw amheuaeth ar ôl eich taith fawr drwy galon Cymru. Mae canol y Trallwng yn gryno ac yn addurnedig o ran pensaernïaeth, ac mae pob amwynder i'w gael yno, gan gynnwys gorsaf reilffordd.

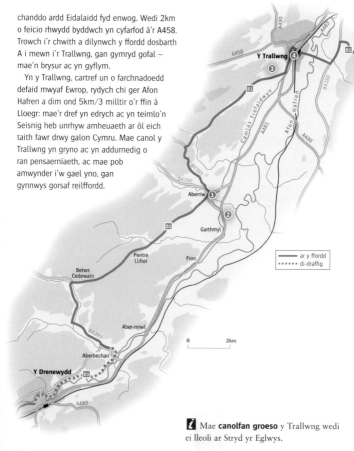

ar y ffordd
di-draffig

0   2km

i Mae **canolfan groeso** y Trallwng wedi ei lleoli ar Stryd yr Eglwys.

Beth i'w weld

❶ Amgueddfa Cerflunwaith Andrew Logan Daw hon â môr o ffasiwn metropolitanaidd lliwgar i bentref gwledig Aberriw. *andrewlogan.com*

❷ Neuadd a Gerddi Glansevern Ger Aberriw, gallwch archwilio dros 25 erw o erddi aeddfed cyn galw yn y siop a'r caffi. *glansevern.co.uk*

❸ Castell Powis Mae llawer i'w fwynhau yn nhŷ mwyaf poblogaidd yr Ymddiriedolaeth Genedlaethol yng Nghymru. Gerddi ysblennydd a chasgliadau o baentiadau, cerfluniau a thapestri, yn ogystal â chasgliad gwych o drysorau o'r India yn Amgueddfa Clive. *nationaltrust.org.uk*

❹ Amgueddfa Powysland Mae'r amgueddfa hon yn y Trallwng wedi ymroi i hanes cymdeithasol Sir Drefaldwyn. *powys.gov.uk*

Castell Powis ▼

Lle i aros

Ym mhentref hyfryd Aberriw, mae **Gwesty'r Llew** (*thelionhotelberriew.com*) a **Gwesty'r Talbot** (*talbot-hotel.com*) yn fannau da i aros. Ychydig ymhellach ac oddi ar y llwybr mae **Fferm Neuadd Trefnant** (*trefnanthall.co.uk*) yn cynnig llety ar fferm weithiol gyda golygfeydd godidog. Yn y Trallwng gellir aros yng **Ngwesty'r Royal Oak** am bris rhesymol (*welshpool.org*) a cheir llety gwely a brecwast arbennig o gyfeillgar i feicwyr ac mewn lleoliad da yn **Hafren House** (*hafrenhouse.com*). Ar gyfer gwersyllwyr, mae **Parc Carafanau Severn** ychydig allan o'r dref ger Cilcewydd: yma hefyd ceir byncws 3 seren (*severnbunkhouse.co.uk*).

Atgyweiriadau a mân ddarnau

Brooks Cycles parod eu cymorth yn y Trallwng yw'r lle i fynd.

Y Trallwng i'r Amwythig

Pellter **44km/27.5 milltir** Tirwedd **Dringfa ffiaidd: wedi'r ddisgynfa, mae'n wastad i bob pwrpas, gan ddilyn lonydd tawel gwledig i mewn i ganol yr Amwythig** Amser **3 awr 30 munud i 4 awr 30 munud** Dringo **509m**

Mae Lôn Cambria yn gorffen gyda chlec – dringo Hir Fynydd. Unwaith y byddwch heibio Bryniau Breidden, mae'r llwybr yn troelli ar hyd glannau Afon Hafren, trwy gefn gwlad prydferth Swydd Amwythig.

Ar Stryd Hafren yn y Trallwng, croeswch dros y gamlas ac anelwch am yr orsaf. Ar y gylchfan, ewch i'r dde, dros gledrau'r rheilffordd ac i gyfeiriad y de ddwyrain allan o'r dref ar y B4381, gan groesi Afon Hafren. Ar y gyffordd T gyda'r B4388, trowch i'r chwith ac, ar ôl 1km, trowch i'r dde. Dyma ddechrau dringfa hir, galed iawn, un o'r caletaf rhwng Aberystwyth a'r Amwythig.

Mae bron 2km o ddringo, gan ennill uchder o 275m; mae rhai rhannau cythreulig o serth, yn arbennig ger y copa yng Nghwmbychan, ac mae'r lôn yn gul. Mae golygfeydd bendigedig dros eich ysgwydd, yn ôl ar draws Afon Hafren i mewn i Gymru, ond fyddwch chi ddim yn poeni llawer amdanynt gan y bydd yn rhaid i chi ymladd am eich gwynt.

O'r diwedd, rydych chi'n cyrraedd copa Hir Fynydd, ger planhigfa o goed sbriws. Yma rydych chi'n croesi'r ffin o Gymru i Loegr. Rydych chi'n agos i ran o Glawdd Offa, y clawdd unionlin a adeiladwyd yn yr wythfed ganrif i ddiffinio'r terfyn rhwng Teyrnas Mersia yn Lloegr a theyrnas Powys yng Nghymru. Ar y gyffordd T ar y copa, trowch i'r dde ac, ymhen 50m, trowch i'r chwith. Mae'r ffordd yn disgyn ychydig ond yn cadw at y tir uchel ar y cyfan am 2.5km – hen ffordd Rufeinig yw hon – ac mae rhai golygfeydd hyfryd y byddwch yn gallu eu mwynhau yn

◄ Wrth y gamlas yn y Trallwng

well erbyn hyn. Trowch i'r chwith i lôn arall a theithio'n gyflym i lawr y bryn. Wedi disgyn am 2km, trowch i'r dde ar y gyffordd T a pharhau ar i lawr, dros y rheilffordd, i gyfarfod â'r A458. Ewch yn syth ar ei draws, gan gymryd gofal. Dringwch eto, yn fwy graddol y tro hwn, heibio i Wollaston ac, ar ôl 2km arall, heibio i glwb golff. Mae'r lôn yn llithro trwy fwlch rhwng Bulthy Hill a Kempster's Hill, rhan o Fryniau'r Breidden, ac yn llithro i lawr i bentref Crewgreen. Trowch i'r dde i'r B4393 ac, ar ôl 500m, trowch i'r chwith (cyn i chi gyrraedd Tafarn y Fir Tree).

Mae'r bryniau y tu ôl i chi bellach: mae gweddill y llwybr yn dilyn dyffryn llydan, gwastad Afon Hafren yr holl ffordd i'r

Amwythig. Mae'n daith hyfryd, hamddenol o 24km i'r diwedd nawr. Yn union y tu allan i'r Crewgreen, rydych chi'n croesi Afon Hafren. Trowch i'r dde ym mhentrefan Melverley a 2km i tu hwnt i'r pentref mae tafarn ddeniadol y Royal Hill, ger tro hyfryd yn yr afon.

Ar y gyffordd T yn y pentrefan nesaf, Pentre, trowch i'r dde ac, 1km wedi hynny, i'r dde eto gyferbyn â gwersyll milwrol. Ar y groesffordd nesaf, trowch i'r dde eto ac ar hyd y lôn i Shrawardine lle bydd angen troi i'r chwith. Ar ôl 1.5km, trowch i'r dde i Montford. Mae'r lonydd hyn yn dawel a phrydferth iawn – adlais o feicio ym Mhrydain yng nghanol yr ugeinfed ganrif.

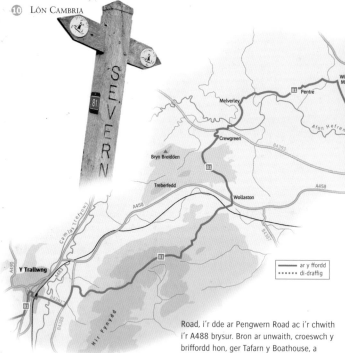

Ym Montford, dilynwch arwyddion heibio'r eglwys addurnedig ac, ar ôl 1km, croeswch yr A5.

Ar y B4380, trowch i'r dde a dilynwch y ffordd brysurach, syth hon am 6km, trwy Bicton i'r Amwythig, tref sirol Swydd Amwythig a, gyda 100,000 o bobl, y cytrefiad mwyaf o gryn dipyn ar unrhyw ran o Lôn Cambria. O'r diwedd, mae arwyddion Llwybr 81 yn eich cyfeirio at lwybr beicio, a, gan ddefnyddio croesfan â goleuadau traffig, ewch i lawr Woodfield Avenue, ac yna Woodfield

Road, i'r dde ar Pengwern Road ac i'r chwith i'r A488 brysur. Bron ar unwaith, croeswch y briffordd hon, ger Tafarn y Boathouse, a chroeswch Afon Hafren dros bont grog i gerddwyr i Quarry Park. Trowch i'r dde, gan ddilyn yr afon, trwy rodfa o goed pisgwydd.

Yn yr haf, mae 29 erw Quarry Park ger yr afon yn fyw gan flodau: dyma ganolbwynt Sioe Flodau Amwythig. Mae canol canoloesol yr Amwythig wedi'i adeiladu ar ddarn o dir sydd wedi'i amgylchynu (bron) gan Afon Hafren. Trowch i'r chwith oddi wrth yr afon mewn unrhyw fan bron ac ymlwybro i fyny i'r farchnad ganolog sydd wedi cael ei defnyddio ers y drydedd ganrif ar ddeg. Mae'r ddrysfa o lonydd a strydoedd cefn – a elwir